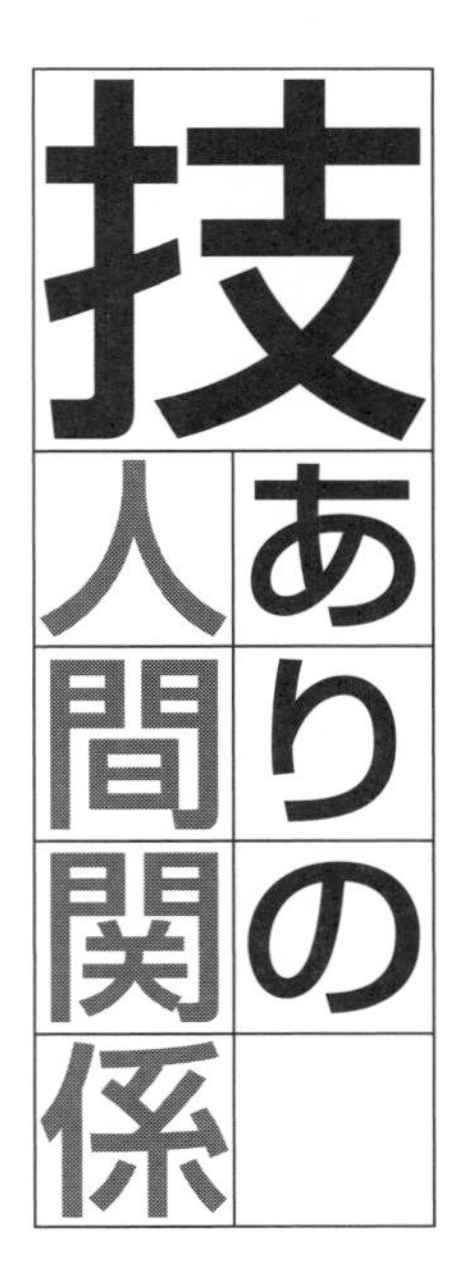

技ありの人間関係

人

一

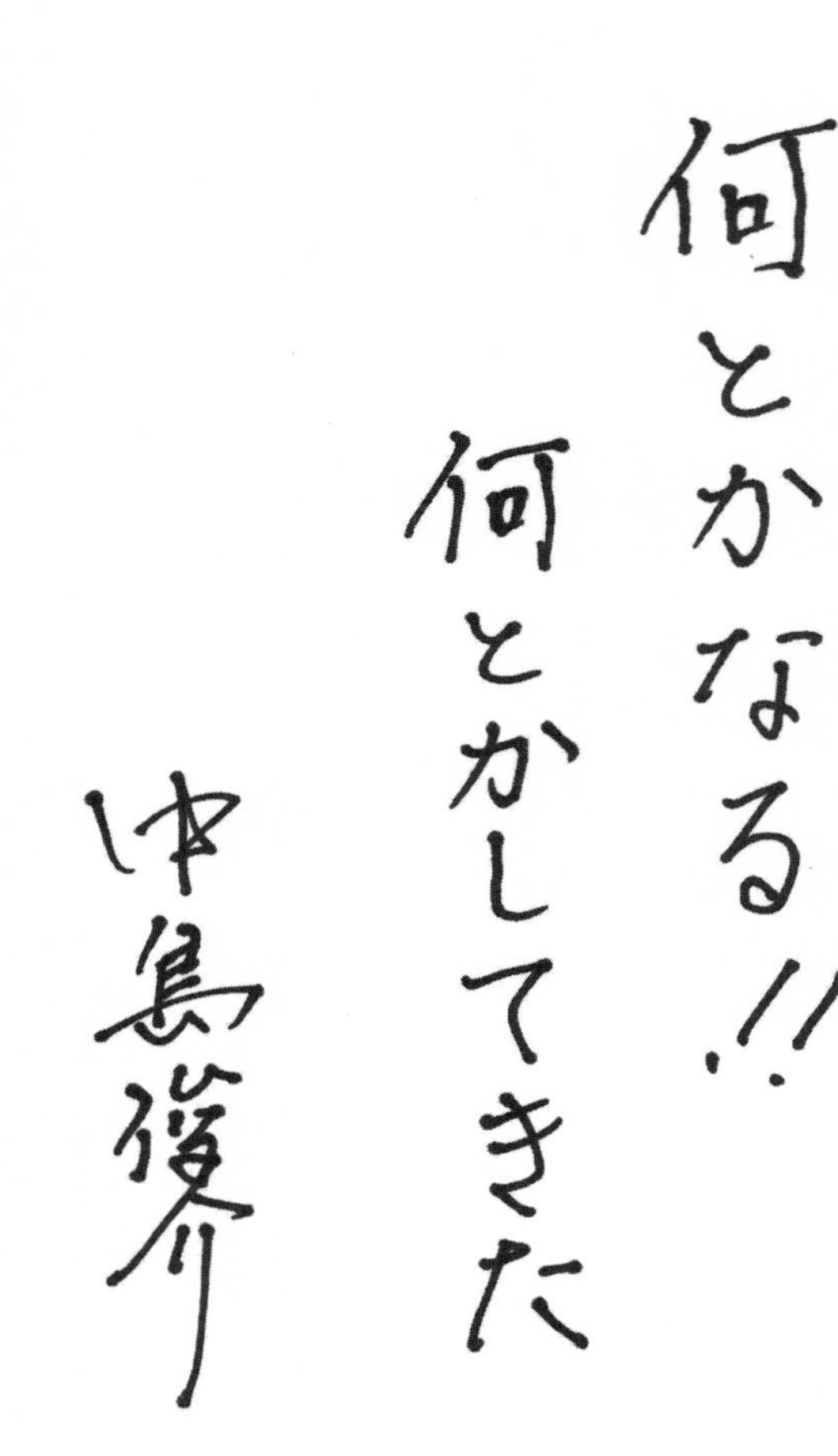
何とかなる!!
何とかしてきた
中島復介

目次

※文中に書かれている情報・名称・呼称等は掲載当時のものです。現在とは異なる場合がありますので、ご注意ください。

まえがき

ミレニアムの年。2000年より連載スタート。北九州市の家庭に配布しているフリーペーパー「リビング北九州」のコラム欄「技ありの人間関係」。2019年まで掲載していただいた。途中2年間のブランクはあったものの、約20年近い連載は私にとってかけがえのない経験となった。初回から6年間の掲載分はすでに「技ありの人間関係　人生の四季」（西日本リビング新聞社）として2006年5月3日に出版した。

今回はその後の2019年6月までをまとめたものである。読み返すとよくまあこんな稚拙な文章を長年掲載してくれたと、リビング北九州編集者の度量の大きさに感謝の念が湧いてくる。

今回の出版によって社会に貢献できるのかを考えた。何も出てこなかった。やめようかとも思ったが、友人はありがたいものである。「前回の本はトイレに置いておくとけっこう楽しめた。トイレ本としていいのよ」。友人のその一言に背中を押されて今回の出版となった。売れなければトイレ用芳香剤の会社に交渉に行けばいいのだと腹が決まったのだ。

ありがたいことにいまだに、教壇に立たせてもらっている。さまざまな人とのつながりの中で生きている。町では「リビング読んでましたよ」と声をかけてくださる。私たちは人間関係からは逃げられない。それは水や食べものと同じである。だとしたら少しでも楽しく飲みかつ食べて語り合いたい。そして人間の営みとして、その「技」を身に付けたいものである。その一助にこの小さな本がなれぱと切に願うものである。

花

新春3話「希望」をあなたへ

先の見えない状態でも我慢できる力を「ネガティィブ・ケイパビリティ」と呼ぶそうだ。「負の能力」などと訳される。私は「不思議や奇跡を信じる力」「苦労を当たり前だと思える力」としている。紹介する三つの話は全て、この能力の実話である。

1話。福島県の特別支援学校に安藤さんという教諭がいらっしゃった。その隣にある重症心身障害児施設に、勝弘君という当時9歳の少年が身動きもせず8年間横たわっていた。両眼形成不全で難聴・重度の脳性麻痺で歩くことはもちろん言葉も話せず。なんの反応もせず。

それを知った安藤さんは、忙しい勤務の合間をぬってこの少年を訪れた。か細い手を取って自分の頬にあて、もう一方の手を勝弘君の頬にあてて耳元に口を寄せ、「カッヒロくん、アンドーセンセイだよ」と呼びかけた。翌日もまた翌日も呼びかけた。3カ月目のある日、勝弘君は安藤さんの言葉によれば「天使のような」笑みを浮かべた。以後の勝弘君の変化は目覚ましく、7年後には特別支援学校の卒業証書を手に笑顔で写真に納まった（竹内敏晴、児童心理2018年1月号「ふれることの深さ」）。

2話。昨年末に映画を観た。岡山での実話を基にした映画「8年越しの花嫁　奇跡の実話」

（監督・瀬々敬久、２０１７年）。婚約直後の二人は困難に直面する。女性は「抗ＮＭＤＡ受容体脳炎」という３００万人に１人といわれる難病で、昏睡状態に陥った。婚約者の彼は、彼女の病院まで雨の日も風の日もバイクで通い始める。「約束したんです。結婚するって」の言葉を抱き信じての長い年月。８年の後、奇跡は起こる。なぜそんなに待てたのか？パンフレットにある当事者の青年は言う。「僕にとっては当たり前のことだったのです」

３話。これは私の目の前で起きたこと。その男性の相談にのったのは20年前だった。町の鉄工所の課長だが仕事への情熱が湧かない。私は「看護師の道は35歳から志しても決して遅くない」と専門職の面白さを説いた。その後、彼は看護大学に入学、保健師の資格も取り、離島の保健師を務めた後、大学院で研究者の能力を磨いた。郷里に戻り、非常勤の保健師をやりながら大学職に就く機会を待ち続けた。見通しは全くつかない。そして昨年末、55歳で自分の母校の大学教員の内定を得た。20年越しの奇跡。偉大なのは支えた妻の「希望を見失わない」心の底力。

勇気は出すものダ！

テレビをつけると、ジャーナリストの鳥越俊太郎さんが出ていた。勇敢に正論を述べてきた人である。がんと闘いながら自分の最後の曲を探す旅番組だった。着ている服は変わっても、同じピンバッジを胸につけている。漢字ふた文字。書家、矢野きよ実さんの書いた「無敵」。がんの恐怖とともに生きる。鳥越さんは「勇気の人」だ。人生の岐路やピンチに立ったときに試されるのは「勇気」。勇気について考えてみた。

怖くないのが勇者なのではない。ふるえながらでも「一歩前に出る人」が勇気ある人である。今公開中の日本映画「はやぶさ」（監督・堤幸彦、2011年）を観た。7年間、60億キロを飛び帰還した小惑星探査機の実話を基にした映画。そのパンフレットの最初には「あきらめない勇気を与えてくれたのは、君！」とある。あきらめないのも勇気なんだ。

勇気という言葉にはさまざまなものが詰まっている。勇敢だけではない。忍耐するのも、勤勉なのも、コツコツ努力するのも、情熱をもつのも、協力するのも、いつも必要なのは勇気である。希望はもつもので、勇気は出すものらしい。

妻は私と違って昔から勇気を出していた。若い頃、一緒に映画に行った。後ろの方の席でいかにも暴力団風の男性2人、上映中にその1人が客席でタバコを吸い始めた。前の席で気が付いた妻は煙を散らすように手を大きく振って、不快感と抗議を示した。私はその手を引っ張ってやめるように促した。勇気と正義は一体となっている。つくづく自分のふがいなさを思い知った。

使えば使うほど身体の力は強くなる。勇気もそうだ。小さな勇気を積み重ねていけば、いつかビックリするほどの勇敢な自分に変わっていけると恩師は言った。ふるえながらでも一人で立ち上がって「間違っている」と言える自分になったのだろうか。あれから40年、妻は今、ますます無敵である。正直であることも勇気である。

本で紹介されていた「勇気の一言」。おしゃれして出かけた女性。駅のホームで「奥さん」と声をかけられた。少しドキドキしながら「何ですか」と振り返ると、見知らぬ若い男性。近づいてきて耳元でささやいた。「奥さん、ストッキングに〝いりこ〟が入っていますよ」。私もこんな声をかける勇気を出したい。

でも男だからだめかも

講演先での出来事。男の部長さんはしみじみと言った。「3年の単身赴任を終えた。久しぶりの妻の弁当についい『ありがとう』と言ったら、妻に『今まで言われたことがない』と言われびっくりしたんです」。初めて妻に「ありがとう」を言ったことのない自分に気が付いたという。人間は当たり前のことだと思っていることには感謝しない。

先日、腰をひねった瞬間いやな感じがした。案の定、ぎっくり腰だった。靴下も履けない、寝返りもソロソロという生活が数日続いた。普段、当たり前に動く〝腰〟に感謝などしたことがないことに気が付いた。もちろん「ありがとう」と声もかけたこともない。

当たり前に慣れることには気を付けたほうがいい。当たり前を支えているものや人が見えなくなる。どうも男性は女性と比べて当然だと片付けがちだ。その点女性は、慈しみ育む特質に優れるからか、どんなに当たり前な状況でも大切なものを見失わないようだ。特に平和と文化については優れた直感をもつ。

歴史をみてもそうだ。1941年、アメリカ議会は日米開戦を審議した。真珠湾攻撃によって当然起きた、日本たたくべしの意見にたった一人反対したのはアメリカ初の女性下院議員、ジャネット・ランキンさん。388対1。

2003年イラク戦争開始にあたり、議会全体が「テロリストと戦争をするのは当然だ」という中で一人だけ異を唱えたのは女性下院議員のバーバラ・リーさん。420対1。みんなが戦争を望むときに戦争の悲劇を忘れないで反対を主張する。この平和の文化を守ろうとする勇気はどこから来たのか。リーさんは「合衆国憲法を読み返しました。その精神に沿った行動をしただけです」と言った。

11月3日の文化の日。私は大学祭で学生と楽しく小倉祇園太鼓をたたいていた。この平和と文化を味わえるのも、また戦地でわが子や教え子が人を殺したり、殺されずにすんでいるのも、陰で支える「憲法」のおかげである。

あまりに当然すぎてそれらへの感謝などすっかり忘れていた。文化と勤労感謝の11月、この国を支える全てのものに感謝し、それを守る勇気を出したい、と痛めた腰をさすりながら決意を新たにしたのである。

人生！期待は禁物

「あせるな。あわてるな。あてにするな」。三つの「あ」はおやじの口癖だった。中でも、最後の「あてにするな」を大事にしていた。人をあてにするから、恨みたくなる。期待するから文句が出る、とよく言っていた。

同じようなことを寅さん映画の監督、山田洋次さんも言っていた。女性アナウンサーとの対談。女性が「監督、不登校の子どもたちが一番好きな映画は寅さんらしいですよ」「うれしいですね。でもそれはよく分かります。寅さんは誰にも期待していませんからね。〝期待しない〟とは大きな愛ですから」。

えー！　期待している方が愛しているのではと思った私は、急いで辞書を引いた。私の手元にある中辞典には、期待とは「将来良くなるであろうことをあてにすること」とあった。将来をあてにするとは「現在の否定」である。期待された途端「今の私は否定された」と敏感に感じる子どもがいる。期待した途端、親の欲求水準は跳ね上がるのだ。子が親にしてほしいのは、まずは今の「あるがまま」を受け入れてもらうことである。

あるがままに受け入れるというのは、相手の話に「聴きほれる」ということである。しかしこれは簡単ではない。例えば不登校になり、「プロレスラーになる」というわが子をどうしても受け入れられないのは当然である。けれどもここが正念場、一切の期待を捨てて「そうか。そうか」と演技でもいいから「聴きほれている」と不思議なことが起こる。

夢を語り尽くすと気力を取り戻すのか、気が済む（気が澄み渡る）のか、そのうちに現実的なことにも目がいくようになる。成長のいい循環が始まる。結果として「大きな愛」で包むのと同じ効果が出るのである。だから「期待しないは大きな愛」なのだろう。「キタイ」ではなく聴きほれる。「聴・キタイ」のほうがいいということだ。期待は禁物である。

それが身に染みた男の話。友人にだまされて全財産を失い、病気になった男の前に、天使が舞い降りてきた。「あなたのかなえたいことを三つ言ってください」。男は期待に震えながら「友情と健康と財産の三つ」とこたえた。そして感激しながら言った。「ありがとう。ホントにありがとう。なんと感謝していいのか…」

天使はメモを置きながら言った。「いいえ、こちらこそ、お取り込み中に〝アンケート〟にご協力いただき、ありがとうございました」

人生！ことばの力で前進

「どうして蹴るんですか！」。通勤電車の中。隣に座った女性のことばにびっくりした。出入り口近くに座る女性の足先が前に伸びていてじゃまになり、降りようとした男性が女性の足を蹴ったのだ。

「降りる人のじゃまやろが、引っ込めろ」。すると女性「足がしびれているんです」。男性負けずに「お前病気か?」、すると女性「病気なんです」。男性一瞬ひるんだが…「書いとけや!」と言い捨てて電車を降りた。次の駅で私が降りようとしたとき、確かに女性の足はじゃまになった。なぜ蹴られたのか分からないのも悲しいけれど、男性も蹴らずにことばで「お嬢さん、きれいなおみ足だけど…」とでも言えば違う展開になったかもしれない。

人を動かすには「役割の力」と「こころの力」がいる。私たちがおまわりさんや看護師さんのいうことを聞くのは役割の力をもっているからである。でもこの力だけでやっていると「威張っている」と嫌われる。もう片方の「こころの力」も使いたい。現代においてはこころの力は「ことばの力」である。

テレビでの面白い実験。バンジージャンプに挑戦する男性に下から若い女性たちがことばを叫ぶ。はじめの3人には「がんばって!」。次の3人には「カッコいい!」。決断実行までの時間を比較する。ことばによる応援効果の検証実験である。

「がんばって!」で応援された最初の男性。「おまえ跳んでみろや、どれだけ怖いか…」とつぶやき11分42秒かかる。「がんばって」組の3人の平均9分39秒。

「カッコいい!」と叫ばれた男性、「言われ慣れてないな、カッコいいとか…」で1分21秒で跳びおりた。3人の平均は何と2分33秒。「がんばって」の4分の1。男性は女性に「がんばって」と言われるより「カッコいい」と言われた方が4倍早く動くのである。

新入社員時代に上司に言われた最も重圧を感じる嫌な言葉ランキングが発表されていた。対象は入社2年目20代の社員。1位は「言っている意味、分かる?」、2位「そんなことも分からないのか」。いずれも人の能力をバカにしたことばである。人間は今の自分を「カッコいい」と認められてこそ前に進める。

新人のあふれる春。緊張でしびれて動けない若者や、加齢でしびれているベテランもいるかもしれない。「ことばの力」を信じて大いに「カッコいい!」を叫ぼうではないか。

しつけで人は育つ

保育士をやっている次男に「子どもにドアを〝あけたらしめる〟ように教えているけれど、なぜドアはあけたらしめないといけないか分かる?」と聞かれた。子どもをとてもよく観察している彼だから、いい加減なことは言えない。「あけておくといろいろと危険なことが起きるからかな」とこたえた。

すると「うーん。それもあるかもしれないけれど、もっと大事なことがある」という。日々の生活の中で保護者と保育士とが協力して丁寧に「ドアはあけたらしめる」を指導すると、このことばが子どもの身に付いてくる。そうすると面白いことが起こる。「子どもはしめるときに必ず後ろを見るようになる。後から来る人がいればそのままにしてドアをしめない。後ろに人がいなければドアをしめる」

そう！「その子は〝考える〟ようになる。そして〝他者の存在を意識する〟ようになる」と次男は言った。昔から言われてきた言動のしつけが身に付くと、人は自然に考えるように仕向けられるし、他者への関心を育てることができる。

通勤電車で私の目撃した風景。車両間のドアのそばに座ったおじさん、高校生が通るたびに、あけっぱなしのドアをしめ続けること約40分間。その勤勉さに頭が下がった。

年配の人はほとんど「あけたらしめる」を励行している。若い人はバラバラである。自動ドアの普及はいつからかしら。自動で動くドアだから、はじめからあけなくてもしめなくてもいい。便利になった分、子どものうちからこれに慣れると、ひょっとして考える力も人に関心を払う力も低下するのかも、というのは考えすぎだろうか。

あいさつをしつけられた子は幸せになる。指導のコツは「考えさせること」。標語のように押し付けて唱えさせても考えることにならない。またこちらから先にすると「反射のあいさつ」になり、先にするあいさつの姿勢が身に付かないという。

次男は朝、登園した子どもを前にして、何も言わないで顔を合わせ続けたり、耳に片手を添えて聞くそぶりを見せて考えさせるという。すると子どもの口から「おはよう」の声が聞こえてくるという。

早速、私も見習って大学ですれちがいの学生に黙って耳に手を添えた。すると学生の声が聞こえてきた。「先生、耳が遠いんですか」

べき虫駆除

「まだあなたはもてたいの」と頭の毛を気にしている私に妻は言った。いい年をしてと言いたいのだ。しかし「人にずっと好かれたい」というのは万人の願いではないだろうか。嫌われて喜ぶ人はいない。でもそれが度を越すと確かによくない。嫌われたくないためにはっきりと意見を言えなかったり、好かれたいので本心と違うことをしたりする羽目になる。

私も八方美人的なところが大いにある。後で悔やむことが今まで何度もあった。若い頃、それでストレスをためるので先輩に相談した。「心の中に〝べき虫〟がいるね。君は人に好かれる〝べき〟と考えている」と言われた。その「べき虫」を駆除して「こしたことはない虫」を飼うように言われた。

好かれる「べき」でなく、好かれるに「こしたことはない」だけなのである。確かにそうである。「べき」と「私が正しい」が自由闊達（かったつ）な心をしばる。目上の人には丁寧語を使う方がいい。しかし「使うべき」と割り切れない。先日も親しい学生と上映中の映画の話になった。「ええ！　もう行ったの！」と学生。さすがにあまりにもため口と思ったのか、慌てて「ですか」と付け加えて丁寧な言葉にした。私は親愛の情と彼女の温かな人間味を感じた。

この世の中に「べき」はほとんどない。「人は殺すべきでない」。しかし自分もしくは家族を守るためにはそうもいっておられないかもしれない。「離婚もしないにこしたことはない」のである。「みんなに好かれるべき」も不可能である。やはり「好かれるにこしたことはない」のである。ああすべき、こうすべき、と「べき虫」の多い人は生き方がギスギスしてくる。

いろんな「べき虫」がいる。長男夫婦は親と同居す「べき」。公平に扱われる「べき」。男は堂々とす「べき」。女はいつもニコニコす「べき」。全ての「べき」を「こしたことがない」にすると心が軽くなる。先日も、「べき虫」を駆除した。私の腰から下を見た学生が遠慮がちに言った。「先生トイレに行かれましたか。開けっ放しです」

私は少しも慌てずに彼女に認知症男性編の4段階を教えた。①名前を思い出せない、②顔が分からない、③ファスナーを上げるのを忘れる、④ファスナーを下げるのを忘れる。まだ3段階。大丈夫。ファスナーは上げ下げするに「こしたことがない」だけである。

中島川

「どんとドンとどん…」。小倉の町に太鼓がひびく。今年も祭りに出たい学生を町内にお願いした。「太鼓インターン」と名付けた。小倉祇園太鼓の山車の旗に「天下泰平」とあった。平和を祈る祭りはステキだ。

近頃年のせいか、「平和」（暴力の不在）のふた文字が身に染みる。暴力は三つ。いじめや原爆は「直接的暴力」。貧乏や孤立死は「構造的暴力」。一番やっかいなのは「文化的暴力」。他の暴力を「仕方がない」と思わせる暴力である。これと対決するには「文化的平和活動」が一番有効で楽しい。ある歌手は「すべての武器を楽器に」と訴えた。

門司在住の直木賞作家、佐木隆三さんが初めての絵本を出した。「昭和二十年八さいの日記」（石風社、2011年）。佐木少年8歳、新型爆弾・広島の原爆を巡る日記である。絵は日本を代表するイラストレーターの黒田征太郎さん。

佐木さんは北九州市立大学地域創生学群の特任教授でもある。講義で学生にこの絵本を読み聞かせしながら歌われた「リンゴの唄」は学生の心に染み入り、原爆の怖さと平和の尊さを刻んだ。絵を描いた黒田さんは、「自然のなかのひとつであるヒトに自然のもとである太陽のマネはできない」として、「陽が昇り陽が沈む。その間をささやかにイノチが生きる」と記している。

先日、福島空港に行った。「うつくしま・ふくしま」の植物文字が迎えてくれた。筑波大学の友人と合流して、「久之浜」に入った。原発から避難区域ぎりぎりの海岸線だ。穏やかな海と初めて見る悲惨の一語しかない風景。

ポツンと営業している食堂があった。海水をかぶった畳の上に座った私に、お店の女性はきっぱりと言った。「娘と孫には来てもらっては困るけれど、私たち年寄りはここに住むよ。老い先短いからね」

私は玄海と博多の海を見ながら育った。父は造船業、海辺の病院で逝った。海という漢字には母がある。すべてのイノチの源は海を母として誕生し、また海にかえる。福島の海を見ながらそのイノチを守りたいと思った。

忘れてはならない。8月9日11時2分。視界不良で小倉に投下できずに長崎に落とされた原爆。同じ日時に、室町の長崎街道起点「常盤橋」の上で、今年も学生が平和太鼓をたたく。イノチの音を聴いていただきたい。偶然と縁。長崎の投下目標は「常盤橋」。その下を流れる川の名は…。

春の夢・マヨネーズに感謝

関西の先輩が来福。急きょミニ同窓会となった。昔話に花が咲く。行きつく先は自分の妻の話になる。「この間、マヨネーズでケンカした。我慢できずに言ってしまった」と温厚だったA君。

彼はほとんどのおかずにマヨネーズをかける癖がある。すると毎回「そんなにかけると身体に悪いでしょ」と妻に言われる。この繰り返しが何十年。その日は虫の居所も悪く、まるで子どもねと小ばかにした言動に聞き流しも限界にきた。「今日まで変えられないってことは、言ってもムダだってことが何で分からないのか」と大声をあげた。「あなたこそ身体に悪いって何で分からないの」と冷ややかに返され言葉に詰まったという。

この日、帰ってから妻にこの話をした。「奥さんはマヨネーズをかけるわけを聞けばいいのにね。そうし続けるには必ずその人なりの理由がある」と妻は言った。彼のマヨネーズ行動の本当の理由は「味付けを考えてほしい」なのだ。

その夜、夢を見た。マヨネーズの神様が登場しておごそかに言った。「いい関係は、お互いが自由であることだ。〝自由〟とは、〝自分の理由〟の始めと終わりの字をとったものだ。だからその人のもつ〝自分の理由〟を聞かなくてはいけない」。人は自分の理由を大事にされたとき、自由を感じる。

神様の声を聞いて、妻の口癖の「お風呂に入って早く寝なさい」がフト気になった。まるで5歳の子ども扱いに腹を立てていつもケンカになるからだ。理由を聞いてびっくりした。「寝られないから」というのだ。私の遅く入る風呂の音が気になって、床（とこ）についているのに寝られないというのだ。理由を聞いて、確かに妻の寝る「自由」を侵害していると思った。不自由な思いをさせて悪かったと素直に思えた。私はその場で謝り、妻と和解した。ここで夢から覚めた。

インターネットで調べた。本来あり得ない水と油を交ぜたマヨネーズは「和解と融和の象徴」とあった。

命の重さ

命に重さがあるという。どうやってはかるか。生きている人は簡単だ。抱えてみると分かる。初めて長男を抱いたとき、小さいのに重たく感じたのは責任の重さを感じたのかもしれない。一人の命の重さは地球より重いという考えの一方で、召集令状の紙一枚に例えられた時代もあった。それでは死んだ人の命に重さはあるのだろうか。

村山常雄さん、70歳の誕生日に思い立ち、毎日10時間以上パソコンに向き合った。11年かかって名前をひたすら入力、シベリア抑留中に亡くなった46300人の名前と埋葬地をつきとめ、2007年に1000ページを超す名簿を自費出版した。

ロシア名「ナカミシ・タマゴル」とある原簿を「ナカニシ・トモハル」とする苦労。「ソミタニィ・イスツルン」は「染谷勇」に。現在ネットには52642人の名前が公開されている。自身も抑留体験者。一人一人の名前を掘り起こすのは「無名」の無念さを背負っているから。失われた個々の命の具体性である名前を示すことで、戦争の無残さを伝えたいからである。

歴史学者はいう。一秒一秒に、同じ重力がかかっている。つらい気持ちの日も、幸せの日も、毎日どこでどんなことをしていても、その一秒一秒に同じ重力がかかっているという。その人の歴史である生きた時間の重さは名前に託されている。名前はその人のかけがえのない人生の一日一日の命の重さをもっているのだ。村山さんが明らかにした、命の重さ。出版された本はB5判、重さ2キロ。今まで亡くなったものの全ての名前の重さを足すと地球よりも重たいだろう。

しかし生きている間に、名前をなくす場合もある。先月、八幡西区で「第4回笑っちゃらん会」があった。年に1回の地域の芸能大会である。今年の優勝は一番会場を沸かせた「刃傷松の廊下」。一人の男性が靴を頭にしばっての熱演だった。

でも私が一番笑ったのは、司会の方の第一声である。大きな会場でたいへんに緊張されて言い間違った。「今日司会を務めます、○○△△と〝申します〟」と言うべきところを「今日司会を務めます、○○△△と〝思います〟」と言われたのだ。名前が消えた！　しかしそれでも安心していい。自分の名前が分からなくなっても大丈夫。人は生きているし記録に名前も残る。

正しく負ける

親しくしていた方の家に「解体中」の札がかかった。高齢になり娘さんの所に移られたのだ。半壊してむき出しになった家屋を見ていると寂しくなった。「なぞなぞ」を思い出した。「どんなものでも食べつくす。鳥もけものも、木や草も。鉄もいわおもかみくだき、勇士を殺し、町をほろぼし、高い山さえちりとなす。それは何だ？」（「ホビットの冒険」岩波書店、２０００年）。そんな恐ろしいものが地球上にいるのだろうか。正解は「時間」である。

時間には誰も勝てない。思い出のある家も人も消し去ってしまう。ある人権の闘士は言った。「神が絶対的なものであり、誰もが従わないといけないものだとしたら、それは時間である。時間は神である」。神に勝とうとしてはいけない。絶対的なものには素直に負けることである。そう考えると安心した。

ヒントは歌にもある。「勝つと思うな」で始まる、勝負の神髄をうたった美空ひばりの「柔」。歌詞に「負けてもともと」という一節がある。人生は本来「負けてもともと」と思えれば楽になるようだ。私も55歳過ぎて大学院を受けるときに「通ればもうけもん」の先輩の一言に背中を押された。知人の保育士は保護者からどんな苦情を言われても「刺されなかっただけ幸運だ」と思うようにしていると言った。

勝負の目的は勝つことではない。「正しく勝つ」と「正しく負ける」を知る必要がある。不思議にも正しく負ければ勝つと同じ満足感がある。先のオリンピック、日本の体操界の至宝、内村航平さんと闘ったウクライナの体操選手、リードしていたにもかかわらず最後の種目で逆転され金メダルを逃した。

インタビューにこたえて彼は「伝説の男と戦えて幸せだ」と話した。正しく負けると幸福を感じる。それは正しく勝つことにつながっているからである。手ごわい悩みや逆境に対しては「まいったなー」と素直に負けておくことだ。私はこのことを悟ってからは養毛剤の使用をやめた。その分の費用が浮くことになり、今は幸せである。

潔く負けるとは、諦めることである。「諦める」とは仕方なく断念することではない。「明らかにする」つまり「手に入れたいものの正体を明らかにして悟り、静かに手放すこと」と考えたい。私は先月、学校のコピーカードを紛失して、信用を静かに手放されたが刺されることはなかった。

お見事

ある言語学者は70歳を過ぎて新友（しんゆう）をつくろうと決意する。仲間にする条件を設けた。①仕事が自分と違う人、②頭が良すぎない人、③ケチをつけるのを偉いことと勘違いしていない人。するとドンドン新たな友人ができて月1回程度、歓談しながら食事をしているという（外山滋比古『長生き』に負けない生き方」講談社、２０１６年）。

③が一番大切なようだ。「ケチ」をつける人は陰気で嫌われる。「ケチ」とは不吉なことが起きる「怪しい事」（けじ）がなまってできた言葉だとされる。難癖のようなケチをつけられると不吉なことが起きるようで、嫌な気持ちになる。仲間を増やすにはケチをつけない方がいい。

しかし、物事には必ず二面性がある。つけた方がいいケチもある。今話題になっている東京都の豊洲市場（移転延期問題、２０１６年8月）についたのはまさに「怪しいこと」についた大事なケチである。うちの妻は「ケチは合理的でいいのよ」と常に言うし、実行している。その昔、新婚旅行で買ったお茶代まで手帳に付けている妻の姿に感動さえ覚えたものである。よいケチは「倹約＝もったいない」であり、合理的である。

しかし、世の中に横行するのは、やはり悪い「ケチ」のほうだ。冒頭の先生の友達づくりの基準は、〝悪いケチをつける人（精神の卑しい人）〟を避けること、である。今、公開中の映画、トム・ハンクス主演の「ハドソン川の奇跡」（２０１６年）では１５５人の命を救った機長の行動に「ケチ」がつけられる。それと闘うには何が必要かぜひ観てもらいたい作品である。

ケチをつけない態度は日本の季節が教えてくれる。今の季節がステキなのは、稲穂が風に揺れている日本の美しい原風景だからである。私はこれを人に例えて「美穂子（みほこさん」と呼んでいる。人間関係では相手を「み」とめ、「ほ」めて、「こ」う定して、「さん」成しないと対話は盛り上がらない。頭文字をつなぐと「みほこさん」になる。ケチをつけない、美穂子さんを目指したい。

娘のつけたケチを見事に退けた母親の話を聞いた。毛皮を買って喜んでいる母親に、自然保護派の娘がケチをつけた。「お母さんがそうやって喜んでいるカゲで、かわいそうな動物が泣いているのよ！」。それを聞いた母親、娘をキッとにらんで言った。「お父さんのことをそんなふうに言うもんじゃありません！」

ステキな質問

私の先輩は入社して出会った女性に「あなたの大切なことばは？」と聞かれた。その後質問されるたびに何だかうれしくなってきたという。気が付いたらその人は先輩の嫁さんになっていた。

質問のうまい人にはかなわない。質問上手な人は釣りの名人に例えられる。川の流れのように会話は進む。釣りの名人は「ひょい」と気になる言葉を「それは?」と質問して釣り上げる。そのうちに本体を釣り上げてしまう。釣られる方も質問されると何だか頭もスッキリして、関心を払われたという喜びも湧いてくる。だから、良い質問と答えは「幸せと真実」を照らすサーチライトのようなものである。一気に人生の大事を明らかにできる。

この点で有名なのはトルストイの「皇帝の抱いた三つの疑問」という話である。①一番大事な時間はいつ? ②この世で一番大事な人は誰? ③今何をなすべきか? (答えは最後に)

毎回講義のはじめに質問タイムをとっている。前の週の出席カードの裏に書いた学生の質問にこたえるのだ。私の回答は適当でゆるーいので尋ねる方も気楽で遠慮のない質問をしてくる。アルバイトの上手なやめ方、遠距離恋愛のコツなどなど面白い。授業の内容よりもこの時間の方が評判はいい。

つい先日だった。とても良い質問があった。「僕は自分の学校が嫌いです。どうしてですか?」。さー、何とこたえよう。入学した学校が好きになれない。その次に自分の勤める職場が嫌いになるかもしれない。でもやめられない。

私の回答は「君が自分自身を嫌いだからです」だった。「学校を好きにならなくてもいい。まず君がしなくてはならないのは、自分自身を認め受け入れること」。自分が嫌いだと、意欲を支える「自分自身への所属感」がもてなくなる。そうすると所属するもの全部嫌いになる。自分の親も、住んでいる地域も、国も、そして人生そのものも嫌いになる。「私は人生が好きだ」。そのもとになるのは「私は私を好き」という健康な自己愛の感覚である。本来それはどこで手に入れるものだろうか。

インドの詩人タゴールはそれを「お母様からいただく愛の宝」と呼んだ。与えるのは母だけではない。あなたも必ずもらったのである（トルストイの質問の回答…①今この時、②今、自分の横にいる人、③自分の横にいる人に善行を行うこと）。

知能対決

テレビ番組で「人間の知能をはるかに超える人工知能」と言っていた。本当だろうか。「人間の走力をはるかに超えるクルマ」とか「人間の筋力をはるかに超えるゴリラ」と言われても平気なのに、不安になったのは、知能は人間の一番の誇りと思っていたからだと気が付いた。人工知能と人間の知能とどこが違うのだろうかと考えていたら、新聞に人工知能（ＡＩ）の弱点が載った。東大入試に挑戦する「東ロボくん」を開発している新井紀子さんの言葉「ＡＩは意味が分かっていない」である。

例えばセンター模試の生物の問題「ネズミの脳下垂体を除去したらどうなるか」。「ホルモン分泌がなくなり尿量が増える」が正解らしいが、ＡＩの得意とする論理的思考や統計では「血が出るか、死ぬかだろうな」の解答となるらしい（毎日新聞２０１６年12月24日）。間違いではないが入試には合格しない。「入試の問題だから授業で習ったはずだ、そういえば…」というように考えを巡らせ、出題者の意図（意味）を予想する力。ことばの背後、下にあるものを感じる力。この力こそ機械と人間を分ける心の力といえまいか。人工知能にできないこの能力を鍛えないといけない。

そこで大学の「コミュニケーション論」で「ことばの背後にある意味や感情に気付く」というのを練習するようにした。例えば、「今度の日曜日に引っ越しするんだ」と言われたとする。そのことばの下にある心情を予想する。その心は「手伝いに来てほしい」「寂しくなるよ」などなどである。「引っ越すよ」と言われ、「そうですか」ではなくて、言った人の心根（こころね）をとらえて「手伝いの手は足りていますか？」と返せば、心と心が触れ合えるのである。正解でなくていい。大切なのは、「ことばの〝下にあるもの〟を説明できる力と、逆に心根をことばにする力である」と講義を終えた。

すると学生から質問のコメントが来た。「心とことばをつなぐのは難しい。プロポーズのことばがいい例です。うちの兄は永遠に愛する覚悟をことばにしようと悩んでいました。

そして『おばあちゃんになった君を守りたい』とプロポーズしました。ところがケンカになったそうです。兄のことばに何か問題があったのでしょうか？」。私はお兄さんの仕事を尋ねた。「兄は介護士です」。うーん…、その勝負引き分け！

一人一人の〝花戦さ〟を

いつもきれいな庭の花がトイレにある。妻の花好きは昔からである。花はいける人の心を映すというけれど、意地悪な妻なのに、といつも不思議に思う。

映画「花戦さ（はないくさ）」（監督・篠原哲雄、２０１７年）を観た。花の美しさにあふれた映画だった。野村萬斎さんの扮（ふん）する池坊専好。16世紀、京都に花僧と呼ばれ、仏に仕えながら花をいける僧侶たちがいた。信長、秀吉という「権力者」の閉ざした心をどう開くか。映画の中での信長のセリフ「武人たる者、茶と花を、人の心を大事にせよ。それこそが上に立つ者の道じゃ」。

確かに花や茶や絵画という文化の力は大きい。映画の中で出てくる問答がある。「どの花が美しいか？」。答えは「それぞれの美しさがある」。面白かったのは、毒を持つ花の扱いだった。人に害を与える毒花さえも映画の最後には違う働きをする。

どの花の中にも仏は住む。池坊専好が求めたのは互いを認め合う「和の心」である。比べず競わず他を認め、自分の才能を信じ、正直に生きるのは勇気のいることである。刀ではなく、「非暴力・対話」で戦った人たちの話だった。自分の「得意とするもの」で社会に貢献しなさいとのメッセージを受け取った。

「言葉の花」で戦をした人もいる。東大阪市にある「司馬遼太郎記念館」に行ってきた。静かな住宅街の一角。緑に包まれた自宅の横にひっそりと建っていた。２００１年にオープン。多くの歴史小説を生み出した国民的作家の司馬遼太郎。自宅の庭は彼の好きだった草花でいっぱいだった。雑草もあまり抜かず、落ち葉もそのままの司馬の好んだ雑木林のイメージが保たれていた。

命日の2月12日は「菜の花忌」とされて、彼の好きだった菜の花で館内はもちろん、周辺の道路、街角が彩られるという。庭の中央には「ふりむけば、又咲いている、花三千、仏三千」と書かれた自筆の花供養の碑があった。やっぱり花の中の仏を彼も見ていたのだ。

本の販売コーナーで、「昭和という国家」（ＮＨＫ出版、１９９８年）を買い求めた。「日本はなぜ昭和元年から20年まで破滅への道を歩んだのか？」がテーマである。この期間、言語が力を失ったという。言語のウソがはびこると国は滅ぶ。

想いを新たに帰宅したその日、「得意なことであなたの〝花戦さ〟を起こしなさい」とトイレの花に住む仏がささやいた。

気づかい

ある女性の体験談。知らない初老の男性と二人でエレベーターを待っていたそうだ。ドアが開いた。自分が先に乗り込んだ。するとその男性はすぐには乗り込まないで、「一緒に乗ってもいいでしょうか？」と女性に尋ねたというのだ。

「見ず知らずの男性と狭い場所で一緒になるのは怖くはないですか」と相手に気づかわれたのである。「どうぞ」とこたえると、乗ってきた。その男性は1階に到着したときも、「お先にどうぞ」と「開」ボタンを押して待ってくれたそうだ。

なかなかできることではない。少なくとも私は「乗ってもいいでしょうか」と言ったことはない。「それは洋行帰りだね」とつい古くさい表現でこたえてしまったけれど、日本の男性もここまで進化しているのかと思った。話してくれた女性は気づかいをされてうれしかったという。

家に帰ってそのことを妻に話すと、「マンションではエレベーターで男の人と二人きりになるのを避けて、男性がいるとわざと時間をおいて乗る女性もいるのよ」と話してくれた。世の中そのものが変化しているのだ。ちょうど保育士をやっている次男が来たので、「子どもの場合はどうなの？」と聞くと、「子どもは、ことばは未発達なので身体の方を先に動かして行動で思いやりを示すよ」と教えてくれた。

例えばオモチャで遊んでいるときに友達が来ると、隣に座れるように横にずれてあげるなどである。子どもが人を気づかう行動はよく見られるという。目の前の人を大切にするこころは生まれつきなのだろうか。

ヒトの本性を調べるために1歳すぎの赤ちゃんを対象とした実験がある。手のふさがった初めて会った大人のために、戸棚を開けるかどうかがテストされた。24人の18カ月児のうち、ほぼ全員の23人が即座に手助けをした。さらに他の実験から学習やしつけとは関係なく、生まれながらにヒトは援助行動をするという（川合伸幸「ヒトの本性」講談社現代新書、2015年）。

ヒトとして思いやりは当たり前の交流だと自覚したい。このことを学生に伝えると、早速試した、勇気ある男子学生がいた。エレベーターで女性に声をかけたという。しかし、まだ身に付いていない悲しさ。「の」と「な」を言い間違えた。「一緒に〝な〟ってもいいですか」。するとその女性に返された。「いきなり、プロポーズですか」。残念！

花で男は龍になる

やっと読み終えた。若松を舞台にした「花と龍」（火野葦平）。映画や舞台では観ていたけれど、きちんと小説で読んだのは初めてだった。北九州発の理想の人間像を調べるためだった。主人公の金五郎と妻マンは作者の両親。最後の行を書き終えた時、作者は不覚の涙を落としたという。

父母への思いはほろ苦く、懐かしい。題名の花は母、龍は父。普通なら龍は玉をつかんでいるのだが、「花のような女性をつかんで男は龍になる。その花は強く賢く美しい」、そんなメッセージを感じた。

「子育てで賢くなる母の脳」（日経サイエンス、２００６年4月号）という論文。子どもを育てることで母ネズミの脳の神経細胞数が増え、餌をとるなどの行動が賢くなることが分かったという。その賢さは一生継続する。子育ては自分の思い通りにならない。あの手この手の智恵と根気の人生勉強である。自分のことだけやっていると脳は再生しない。思い通りにならない他人のことを必死に思いながら行動するとき、脳は活発に再生する。子育てや人の世話で人間の脳は賢くなるのだ。

それと近年の脳科学で明らかになったことは「優しい判断をしているとき、脳は活発に動く」ということである。子育ては当たり前と正しいことの積み重ねである。子どもの弁当作りや、保育園の送迎。「いじめはだめ」「正しい者は最後に勝ちますよ」。当然で当たり前の判断と行動で、脳は育つ。「花と龍」の二人も、子どもと地域を育て、他人のために尽力する人生だった。脳はどんどん賢く強くなった。私の体験でも結婚当初、私と妻の能力差はそうなかった。しかし3人の子育てを真剣にやり遂げ、いい加減な夫を導いた妻の能力は、私を大きく上回った。

新社会人へ

手塩にかけた学生たちが巣立っていく。何か役立つことを伝えようと思うけれど、私自身が情けないことばかりである。

この前もスポーツジムの退会手続きをした。健康づくりにと1年前に申し込んだけれどダメだった。「忙しい」の言い訳で一度も行かない月もあった。今までやった英会話、スイミングスクール、空手に太極拳。どれも続かなかった。でも、めげずに「挑戦」を続けられたのはなぜだろう。

今までを振り返った。どんな建物でも「礎石」がある。私にも「礎石」があったはず。思い当たった一つのことがあった。社会に出て心底驚いたのは「自分は未熟である」という簡単な事実だった。電話もまともに受けられない。先輩の意地の悪いことばにもうまく対処できない。車の運転も下手。「実社会の現実」に直面したのだ。それまでの何かがガラガラと壊れた。

そんなある日、地域のおじさんに言われた。「中島さん、会社員でしょ。5時までの仕事なら、夜7時から何をやっているかで将来が決まるよ。夢を書いて壁に貼り、1日2時間勉強してごらん。夢がかなうよ」。1日2時間なんて無理。

しかし、その時ひらめいた。天からの啓示。「2時間は120分。15分を8コ積み立てればよい」。朝ご飯食べながら15分勉強して1コ。昼休みに15分で1コ。夕方帰宅前に会社で30分で2コ。夕食食べて30分で2コ。寝る前に30分で2コ。これで合計8コ。1日の生活の中でとにかく15分という細かい時間を8コ、チリ取りでかき集める。

壁に「1日8コマ、ゲットで夢がかなう！」と貼り紙をした。そして毎日の成果をグラフにして壁に貼り出した。貼り紙効果と時間管理。このやり方で簿記検定2級を6カ月で取得。とにかくうれしかった。この「あの時やれたという歴史」が「礎石」となり、建設の第一歩となった。その後働きながら通信教育で小学校教員免許を取得。40年間の教員人生が始まった。あのおじさんの言うとおりだった。厳しい現実にはまず夢を壁に貼ること。現実が必ず動く。

そんな実例を見た学生の報告。「この間、久しぶりに地元の古びた映画館に行った。トイレに行くとそこに貼り紙があり『出る時はフタを閉めてください。15％の節電になります』とあった。でもどの便座にもフタがなかった」。新社会人！　フンばれー。

努力は〝イカ〟す

保育士を目指す若い学生への実習指導は大変なようだ。実習先に既定の謝礼金を渡すのも、お金の渡し方を教えておかないと失礼なこととなる。言い方の指導。お金を渡しながら「さしょう（些少）ですが…」と言うように教えるのだが、普段使わない言葉なので「しゃしょう（車掌）ですが」と言ってしまい、園長先生に「運転手はぼくだ…」と童謡にして切り返されたこともあったという。

けがの功名もある。実習も無事に終わりお別れにと、風流な主任先生にお茶をたててもらった実習生、緊張のあまり「大変結構な〝たてまえ〟でした」と言ってしまった。歯に衣着せぬ学生と一目置かれてしまい評価は良かった。

園児にも実習生は人気者。話しかけると面白いからである。「先生、うちの犬は土佐犬なんよ。戦う犬なの。血統書付きだよ」「へーすごいね。いつも相手がいるんだぁ」「…えっ?」「だって、けっとうしょ（決闘書）付きなんでしょ」「…」

ドラマチックで困難な実習体験は学生が成長するチャンスでもある。昨年4月入学の1年生、ほぼ1年間の座学で培った力をバネに、この1月の実習に挑む。このコラムを読む頃は、ちょうど実習期間中である。がんばれ実習生。指導の先生方に感謝。

2年生はいよいよ今春卒業である。実習ではなく人生の本番に挑む。でも人が大きく成長するのはやはり困難な出来事に遭遇したときである。卒業前の学生は不安になるのだろう。よく質問される。「〝努力は実る〟って人生でも本当ですか」「それは絶対に正しいよ」とこたえる。

昭和30年代の若松。大晦日の丸一日、母親と幼稚園児の私は映画館にいた。借金の取り立てを避けてだった。造船業の下請けをしていた父の仕事は順調でなかった。

4年後、新しい仕事に就く父とともに博多に引っ越した。その年の暮れ、博多の川端通商店街の帽子店で野球帽を買ってもらった。うれしかった。あれは帽子を買ってもらったうれしさというより、父母の笑顔に、家の暮らしが楽になっていくことへの兆しを見たからだろう。父の口癖だった「努力は報われる。冬は必ず春となる」は、現実となり私の家の信条となった。

実習中、特に後半は学生の体力も努力も限界に近づく。ある学生は、発熱と体のだるさに、冷凍庫から冷えて固まる氷まくらを出して、おでこに乗せたまま寝入ってしまった。翌朝、目を開けた途端、解凍されたイカが横にあったのでびっくりして飛び起きたという。実習は家族だけでなく、イカも巻き込んでの総力戦である。

ここまで来るのに30年！

「なに考えてんの！」とこっぴどく叱られた。大阪で小学校教師1年目、算数でコンパスを使うテスト問題を作った。用紙の真ん中に投下地点を示す爆弾の絵。周りに点在する人間を描いた。そして設問「爆弾の落ちたところから半径5キロの人は死にます。何人生き残りますか。コンパスを使って考えましょう」。子どもの興味を引く問題だと、自慢の気持ちで学年主任に見せた。真剣に叱られた。「爆弾で死ぬとは何ですか！　戦争を二度と起こさないための教育でしょ。あなたは何のために教師になったのですか？」。自分の見識のなさを反省した。今から30年前の出来事である。

「教え子を再び戦場に送らない」という戦後のスローガンは生きていた。先輩はよく言っていた。「戦争を憎む気持ちを育て続けることが大切だ。天災と戦争は忘れた頃にやってくる」

12月8日、太平洋戦争の開戦の日に、沖縄での学会に参加することになった。会の合間に島の最南端、喜屋武（きゃん）岬を訪れた。断がいに「平和の塔」。広い海と空をバックにひっそりと立っていた。

掃除をしていた女性に話を聞いた。「米軍に追い詰められ、ここからたくさん飛び降りたのよ」。当時、小学校3年生だった彼女は、現在70歳。「戦争を体験してない人に、その悲惨さを伝えるのは難しい」と語っていた。

それから、「ひめゆり平和祈念資料館」にも立ち寄った。展示室にあった言葉にハッとした。「全ての戦争は誰もがもっている、〝あらゆる弱者への差別の心が利用される〟ことが原因である。そのことに気付くことが重要だ」。弱いものいじめは戦争に通じるのだ。沖縄には人を素直にする不思議なパワーがある。納得することは、さらに続いた。

飛行機の時間待ちに映画を観た。「硫黄島からの手紙」（2006年）。沖縄戦の4カ月前の出来事である。監督はクリント・イーストウッド。戦争の実態を学べる優れた作品だ。戦争はよくないと分かっている。しかし戦争を「心の底から憎む気持ち」を日常の生活の中からもつことは難しい。

主演の渡辺謙さんは語る。「戦場で行われたことを見てしまったら、自分の息子や恋人を決してそこに向かわせたくないと思うでしょう」。戦争を本当に憎む心にまで心を高めること。その心を養わない限り、いじめも解決しない。戦争映画も戦跡も、その点で意味をもつ。子どもとともに見たい映画である。弱い者いじめは許さない。

私は戦争と、そして妻と断固戦う気持ちを再確認して、那覇空港を飛び立った。沖縄に感謝。合掌。

60点主義でファイト!

アンケートをのぞいた。教師の情熱への感想。最高のレベル5は「あふれんばかり」。いい先生だろうな。次は「まあまあある」。私はこれかな!　レベル3は「ないとはいわない」。最低のレベル1は「みじんもない」。う〜ん!　こんな先生はおらんやろ。

同じこたえ方で夫婦の愛情を調べたらどうだろう。手元に結婚後の妻と夫の幸福感を示した資料がある。半世紀前の調査でも参考にはなる。夫66点からスタート。上昇していく。私もうれしかった。結婚後12年から14年でピーク73点。それからなだらかに下降。30年で元の点数66点に戻る。

一方、妻は夫より高い69点からスタートしてすぐに下降。3年あたりで下からきた夫と交差してさらに下降。7年あたりでやっと上昇に転じる。夫と同じ12年から14年でピーク71点。以降急激に下降し、21年から23年でドン底58点。この時期は子どもの自立や親族の減少など、愛着の対象を失い元気が出ない。何とか思い直して少し上がり、銀婚式を境にまた下がり最終60点。夫も妻も平均すれば60数点の夫婦生活。

「へー!」という感じがした。でもよく考えると60点は上出来である。どんな試験も合格である。満点なんかこの世の現実にあるわけがない。

帰宅した夫に「人ごみのにおいがするので嫌」と言う妻がいると聞いたことがあるが驚いてはいけない。まだいい方である。私の妻にこの話をすると、「〝人ごみ〟のにおいならまだいいわよ。〝人〟がついてるもの」とおっしゃった。でも私は常に幸福である。60点で満足しているから。

水

吾輩たちはネコである

ゴミを拾って見せに来る子どもに「えらいね」と褒めていた教師。子どもがゴミ箱から拾っていたことに気付きショックを受けた。志の高い教師だったので、子どもの行動をとやかく言う前に反省した。自分の口にしていた「えらいね」は、ことばのゴミ箱から拾ってきたゴミのようなことばだったのだ。目には目を、ゴミにはゴミを、で子どもにやられたのだ。口は「命の入り口、心の出口」といわれる。

「君のおかげで、みんなが気持ち良くお勉強できるようになったよ。ありがとう。先生もうれしいよ」と感謝と喜びの心で言ってみた。言われた子どもの顔がパッと輝いた。褒められなくてもみんなのために動くようになった。幸せは「心より出でてわれを飾る」と聞いた。

「おはよう!」「こんにちは」、キャンパスですれちがう学生にこちらから声をかけるように決めた。元気よく始めたけれど、学生の反応がないことが続くと気持ちがなえる。この間なんか、こちらが「おはよう」と言うと「ございます」と返された。「二人で一つかよ!」と突っ込みたくなる。そのうちにだんだんと「君から先に言うべきだ」と相手を責める気持ちさえ芽生えてくる。そんなときに冒頭の先生の話を聞いたのだ。口からゴミを出す、形だけの「ゴミあいさつ」になっていたと気付いた。

そしてついにその日が来た。見失いそうな初心とゴミ心を一変する画期的な方法を思いついたのだ。大学のキャンパスにはどういうわけかネコがたくさんいる。そこで、出会ったネコに「おはよう！」と声をかけてみた。ついでに立っている木にも「こんにちは」と言ってみた。すると不思議なことが起きた。向こうから来た学生に、本当に気楽に素直に「おはよう！」と声をかけることができたのだ。ネコや木で鍛えているから、相手の反応はなくても平気である。落ち込むこともない。

このやり方は素晴らしい、ぜひ学生にも教えねばと「まず学内のネコや木に心からあいさつをしなさい。無視されてもめげないようになる」と授業で話した。すると学生が言ってきた。「ありがとうございます。先生方にあいさつできるようになりました」。ええ！反応がなかったのはこっちの方だったのかい。

笑い飛ばされていたんだ

「ホホ、ハハハ」。笑いは心と身体にいいというので、「笑いヨガ」を体験してみた。笑いを体操として身体で覚えるトレーニングである。目からうろこだったのは、私たちの脳は作り笑いも本当の笑いも区別がつかず、笑いの効果は同じということ。とにかく笑う。笑う。2日間笑って過ごす。いろんなトレーニング種目を体験した。

例えば「請求書笑い」、自分の作ったイメージで手の平に乗せた架空の請求書をパッと開く。それを見た途端、笑い出すのである。次は「携帯笑い」、透明の携帯電話を耳にあて「わはははは」と笑う。指導者に従って、つぎつぎといろんな笑いをやってみる。一人ではアホらしくてできないだろうに、20数名の人たちと一緒に笑うと、他人の笑い声に誘われて自然に無理なく笑えるようになる。笑いは伝染する。笑った後おなかが痛くなった。これがヨガと同じ健康効果だという。理由なく笑えるようになった。どんなときでもどんな場所でも、笑おうと思えば笑えるという妙な自信は心をしなやかに強くするのかもしれない。

試しにその晩、娘に「もう少し人生を考えたらどうだ。あはははは」と笑いながら小言を言うと「お父さん、いつもそんなふうに言ってよ」と素直に私の言葉が耳に入ったようだ。これはいい。「小言笑い」と名付けた。心理学では「悲しいから泣くのではない。泣くから悲しいのだ」という。「楽しいから笑うのではない。笑うから楽しいのだ」を実感する体験だった。

インドの医師、カタリア氏を中心にムンバイの地で5人から始まったこの「笑いヨガ」。ストレス社会を生き抜く技の一つなのだろう。今では68カ国以上に広がっているという。

先日の朝、日課のお風呂掃除を笑いながらやっていると、指をしたたか棚に打ちつけた。「あっ痛た！　あはははは」と笑うと痛みが軽くなった。笑いは痛みや不快感をふき飛ばす。

　ハッと気付いたことがあった。私の妻は昔から、本当によく笑う。それもいわゆる「わっはははは」という高笑いである。そのたびに「人をばかにしているようだからやめなさい」と言うけれど一向に変えない。だいたい全てにわたって、私の深遠で有用な助言にも痛くもかゆくもない感じである。不思議だった。そうか妻に私の言葉がこたえなかったのは、この「豪傑笑い」のおかげだったのだ。

ポジティブ心理学

　足立山のしだれ桜を見に行った。猪（いのしし）にこしかけた和気清麻呂像にあいさつした後、花の下で学生と弁当を食べているとカラスが1羽飛んできた。人懐っこくそばに寄ってきた。「へー。駅のベンチに座っていると、ハトがきて食べ物をねだる。カラスも一緒なんだ」。まだ幼く体は小さい。真っ黒の羽が光ってきれいだ。

　カラスはあいさつして一段落したのか、私の前から左回りにちょこちょこと歩いて視界から消えた。そういえば絵本「からすのパンやさん」、子どもによく読んでやったなぁ。そんなことを思い出しながら弁当をほおばっていると、左側後方から「バタバタッ」と羽音がした。振り返ると、何と先ほどのカラスが袋をくわえて飛び去るところだった。

能登半島名産の栗の入った1個210円の高級和菓子。学生がわざわざ花見用にとデパートから買ってきたものだ。カバンから出しておいていたのがまずかった。3個入りで630円。袋の重さに耐えかねたのか、6メートルくらい飛んで着地した。

学生は「こらー！」と叫びながら追いかけたが間に合わない。カラスは袋をくわえ直して飛び去った。私はぼう然とこの状況を眺めていた。われに返って油断していた自分を後悔した。同時に「憎きカラスめ、高い和菓子だったのに」と怒りがふつふつと湧いてきた。けれどどうしようもない。

長く生きてきた私はこんなとき、何とかポジティブに考えるように工夫してきた。「おすそ分け」のことばが頭に浮かんだ。こうやって仲間ときれいな桜を見る幸せ。それにこの前は長男の結婚式だった。長く待ったかいがあった。素晴らしいお嫁さんだった。「幸せのおすそ分け」。そう思うと怒りが収まった。

カラスといえば、ある女学生が話してくれた高校時代の体験談を思い出した。憧れの先輩がいた。彼は歩きで彼女は自転車通学。毎朝の幸せは彼の横を自転車で追い越す瞬間。彼の視線を背中に意識するこの時間が、毎朝の生きがいでもあった。青春とはそんなものである。その日の朝も田舎道を急ぐ彼女の前方に、彼の姿が見えてきた。ウキウキ気分でペダルをこいでいると、後ろからバサバサっという羽ばたきの音。何と自分の肩にカラスがとまった。キャーと叫ぶような性格でもない。憧れの彼の横をカラスを肩に乗せたまま通り抜けたという。

こんなとき、どうポジティブに考えればいいのだろうか。浮かんだことば…。「伝わった？私の片想い（肩重い）」

しつこい質問

「聞いていいですか」という。「聞く」には「質問する」という意味がある。だから「話し上手は聞き上手」の言葉を借りれば「聞き上手は〝質問上手〟」といえる。コミュニケーションの秘けつは質問力。人とつながるための有力な技術が「質問する力」なのである。

良い質問は「具体的」で「本質的」な質問。その人の本質、生き方の根っこが現れる具体的な質問だという。「あなたにとって愛とは何ですか？」は、「本質的」ではあるが「具体的」ではなくこたえにくい。また俳優さんは「好きな食べ物」を聞かれるより、「眼の演技での失敗談」を聞かれる方が仕事の本質に触れられてうれしい。具体的で本質的な質問のトレーニングは難しい。

先日、学生に問うた。「あなたが最も自信をもって使える道具を一つ教えてください」。使う道具はその人の人生の本質に迫る具体物なのでよい質問である。水泳を長くやっている学生は「ビート板」と言った。ユニークだと思ったのは「箸」とこたえた学生である。トレーニングだから、それに対してさらに他の学生が質問しなければならない。私の期待した質問は「箸にまつわる一番うれしい思い出は?」。

しかし学生は思うように動かない。1人目「今までで一番つかみやすいものは何ですか?」、2人目「今までで一番つかみ難いものは何ですか?」。オイオイと思った。3人目「これから何をつかみたいですか?」。三つの中から本人がベストな質問を選びそれにこたえる。彼が選んだのは3番目。これから箸でつかみたいものは何かだった。

彼の答えを待って教室はシーンとなった。沈黙の後の答え「夢!」。教室は「オー!」とどよめいた。でも箸でつかめる夢って小さいかもと心配になった。

人生最後の質問はご存じだろうか。2万人の臨死体験者を研究してきたキューブラー・ロスの報告(1986)では、死後私たちが出会う光の生命体は「どれほど人を愛したか?」と質問するという。光が望んだのは、人を決して差別しない類いの愛。自分の知っている人を、その人の欠点をも含めて愛せるかというのが光が尋ねたいことだという。

生きている間に家族にたくさんの質問をしたいものである。子どもには「いじめられてないか?」、パートナーには「お金はあるか?」。私は心配性だから、妻によく「幸せか?」と聞く。この間も尋ねると言われた。「幸せっていいよろうがねー。せからしかね」

私がイヌかも

うちのイヌはムダにほえるので、近所からのクレームが気になる。飼い主は娘。しつけがうまくない。だから飼うのを反対したのだ。でもその娘をしつけたのは私だから、文句は言えない。

妻は「あなたは自分自身のしつけもヘタだ」と言う。目薬が切れたので妻に言うと、「私の使っているものと同じのがあるけれど」と言ったので「ください」と頼むと、「あなたは絶対私のと間違うから」と渡したくなさそう。「間違わないよ！」とこたえると、「私の〝予言〟は絶対当たる」と自信タップリに〝うなずき〟ながら言った。確かに今までそうだった。回覧板を妻の留守中に回すように言われたときも「忘れるだろうね」との予言は当たった。ひょっとしたら「予言は当たる。この人はすごい」と妻は私に暗示をかけているのかもしれない。

催眠術師は「心理誘導」をして相手を意のままに動かす。例えば、私の長い教師生活で会得した術に「首の動き術」というのがある。簡単であるが効果は抜群である。うなずきながら話すだけである。すると相手は「イエス」と言うのである。「え、そんなウソでしょ」と思われる方はぜひ試してもらいたい。コツは相手に気付かれないようにさりげなく、ゆっくりと首を上下しながら話すのである。あごの先を意識するとうまくいく。最初は相手が「イエス」と言いやすい問いかけから始める。

失敗して落ち込んでいる学生に対してはこう切り出す。「(ゆっくりうなずきながら)確かにうまくいかなかったね」「そうなんです」「(ゆっくりうなずきながら)でも、失敗というのは脳が忘れないように覚えておくためにやるんだからね」「はあ」「(ゆっくりうなずきながら)つまりね。失敗する。そうすると今度は、身体に成功のエネルギーがドンドンたまる。顔つきが良くなる」「そうですか」「(ゆっくりうなずきながら)○○君、目に力が出てきたよ。ほらどう?」「そうですね。そんな気がします。はい」

こんな具合にうまくいくのである。ここで気が付いた。妻はよくうなずく。どこかで「首の動き術」をマスターしていたのだ。観察しているとイヌと話す時に首を振っている。飼い犬で練習していたのだ。やっぱりイヌを飼わなきゃよかった。

ふっきる力

「はじめは怖い先生かと思った」。悪い気はしなかった。ある時気が付いた。要するに不機嫌な顔をしているだけだと。そういえば結婚する前に今の妻に言われた。「暗い顔して、何かカゲがあるわね」。今はそうでもないらしい。この頃はカゲよりハゲの方が気になる。

ゼミで「機嫌」の話が出た。機嫌の良い悪いと、頭の良い悪いの組み合わせで4種類の人がいる。女子学生が「うちの父はアホで不機嫌。だから苦手です」といった。40代以上の男性と思春期の子どもが不機嫌チャンピオンとされる。

中には不機嫌だと得をするので、わざとそうしている人もいる。不機嫌は欠点を隠す機能がある。不機嫌だと社会性のなさや弱気がベールに包まれる。周りが気を使ってチヤホヤする。役割が上がるとそれを注意する人もいなくなり、ますます「不機嫌上手」になる。「べつに」ですます思春期の子には、キチンと言わないといけない。「そんなコミュニケーションはないでしょ。きちんとこたえなさい」と。でないと、そのまま大学に来て就職時に苦労する。上機嫌で頭が良いのが一番ですよと教えないといけない。怒りたいことや不安が多いからこそ「上機嫌力」が必要だとされる（齋藤孝「上機嫌の作法」角川書店、2005年）。

そのためには、まずは身体（顔）を上機嫌モードにしたてることだという。コツは①相手の目を見る（眼くばり）。②口もとニッコリ、ほっぺに力（口まわり）。③とにかくうなずく（首）。これを癖にまで習慣化する。不機嫌な人は「目を合わさない・笑わない・うなずかない」が特徴である。

次に上機嫌力には「ふっきる力」が必要。そのためには①断言力がいる。「私にできるかしら?・」では不安になる。「私はできる!」と断言する。「確定・肯定する」と次に行くエネルギーが湧き起こる。②自画自賛力がいる。自分を誇るうぬぼれではなく、自分の生んだものにほれぼれする力。「すごい画だ。二度と描けない」。自画自賛が癖になると、生きていること自体楽しく上機嫌になる。

私も断言しよう。「妻には勝てない。頭はハゲる。でもステキ」。これでいつも上機嫌。

名前返しの技

「技あり人生相談」

質問…一人暮らしの母親に近頃振り回されています。時々おかしな電話をしてきたり、理解に苦しむ行動をします。認知症とまではいかないものの、心配というよりあんなにシッカリしていた母がと思うと、イライラします。どうすれば穏やかに高齢の母と過ごせるか、アドバイスをお願いします（主婦、49歳）。

回答…子どもと年老いた親との人間模様。昔からある悩みです。年老いた親を山に捨てに行く姥（うば）捨て山伝説では、切ろうとしても切れない親子の情の複雑さを今に伝えています。古（いにしえ）の智恵を借りれば、「前世と来世を信じなさい。前世で苦労をおかけしたので今世でお返しをしているのです。来世のためにも今頑張りましょう」と考えるのもありですけれど、今日は簡単で効果のある別の方法をアドバイスします。

それは「あだ名をつける」です。例えば「怖い先生」に「オバキュー」のあだ名をつけるだけで、感じ方や見方は変わります。私の知人は、高齢になった自分の母親を呼ぶのに本人の前では「お母さん」と呼ぶけれど、自分の妹と話すときは母の名前とは全く関係のない「ジロちゃん」と呼び合っています。5年ほど前、母親の加齢に伴って「あれ？」と思うことも多くなった。「お母さんは…」と姉妹で言い合ってイライラの種は尽きなかったそうです。

それがあるとき、妹のいたずら心からイヌのイメージで「ジロちゃん」と呼ぼうということになった。「ジロちゃんは今日こんなことしたんよ」と言い始めると不思議なことが起きた。自分の子どものようなイメージがだんだんと湧いてきて、母のやることを「かわいい」と思えるようになったそうです。うそみたいな簡単な方法ですが理にかなっています。

あだ名の効用は「想う(イメージ)」で「思う(考え)」を制するやり方です。「思」の字の「田」は子どもの脳を表し、脳の得意な「ことばで考えること」を「思う」といいます。一方、「想」は「イメージ」です。イメージの力でお母さんをよみがえらせてください。こころの働きは不思議でいっぱいです。かわいいイメージでユーモラスなあだ名ほどいい。そういえば、学生時代の妻のあだ名は、ほっぺが赤かったので「トマトちゃん」だった。そう呼んだのが間違いのもとだった。

新春、ユーモア指南

3月は別れの月。卒業するゼミ生にプレゼントを準備した。「5センチほどの小さなランタンと方位磁石」。ここだけの話、百均で購入した。渡すときに「今、自分に必要な方を選びなさい。足元を照らすランタンか、方向を示すコンパスか」。

5人中4人がコンパスを、1人がランタンを選んだ。各自に手渡した後に「二つともあげる。これから必要だからね」と言った。人生では光と方向性は常に大切である。しかし実はこれから歩む厳しい人生、必要なのは人間性を意味する「ヒューマン」の変化した「ユーモア」である。

人間の生活からにじみ出るおかしみや滑稽さだが、ユーモアを身に付けるとは、人間に共通する「弱さを許すしなやかな心」を鍛えることでもある。できれば卒業式まではゼミ生に「ユーモア指南メモ」を渡したい。その一部をひと足お先に皆さんに。

「ユーモア指南メモ」からユーモア場面を見つけるコツを二つ。1番目のコツは「言葉返しの術」…ことばの意味を異なって理解する場面。

例①。昔、学生時代の下宿先では冷蔵庫は共有だった。私物を入れるときは「名前を書くように」と貼り紙してあった。ある日冷蔵庫を開けたらバナナが入れてあって、大きく

「バナナ」と書いてあった。例②。電車で座っていたときに前に立っているおじさんの「社会の窓」があいていた。「前、あいていますよ」と声をかけたら、おじさんは「ありがとう」と言って前の車両に歩いていった。

2番目のユーモア発見のコツは「言葉もらしの術」…その場にはふさわしくないことばをつい聞いたとき。

例①。学校や会社で先生や上司のことを「お父さん」と呼び間違うことはよく聞く。この前うちの夫は朝6時から夜10時まで働いてきたとき、たまたま起きていた息子（8カ月）に向かって「課長も一緒にお風呂入る？」と問いかけていた。

例②。遊園地で、小さい男の子が「チクショー！　迷子にさせやがって！」とののしりながら、必死に親を探しているのを私は見ました。

どうでした。では最後にテストです。次の話はなぜ面白いですか。畑山（はたけやま）さんは腹痛で病院に行った。受付で「〝はたやま〟さん」と呼ばれた。「〝け〟が抜けているんですけど」と言ったら、「それなら皮膚科に行ってください」と言われた。

眼で食べよう

サンタさんの季節。「大事なことは目には見えない」と星の王子様は語った。金子みすゞは「昼のお星は目に見えぬ　見えぬけれどもあるんだよ」と教えてくれた。見えないものを信じる人は希望を失わない。見えぬものを大切にする人の心は美しい。ある本には、こころの中にサンタさんの部屋を作った子どもは、この空間がある限り、目には見えない大切なものをここに迎え入れることができると書かれている（松岡享子「サンタクロースの部屋」こぐま社、１９７８年）。

自分には小部屋があるのだろうかと気になった。私の若松での幼稚園時代、サンタさんを迎えてのクリスマス会があった。外国人のサンタさんはまさに本物だった。間近に見たときの驚きと感動は今でも忘れない。12月の鈴の音にサンタを思い、わくわくするのはこのときのおかげだと思う。見えないものがあるように、聞こえない声もある。カウンセラーは声なき声を聴くように訓練される。

先日「自殺を打ち明けられたらどう対応するか」の研修講師だった。人間誰しもそんなことを打ち明けられたら、不安になって慌てる。月並みなことばで早く収めて逃げたいと思う。しかし望まれるのは「しっかり聴くという態度」である。生と死の間で激しく揺れながら、この人と思い定めて打ち明けたのである。死を語るほどのつらさを、まずはしっかりと受け止めたい。人は黙って聴いてもらって初めて余裕が生まれる。専門家への相談を勧めるのはそのあと。ゆとりがないと他人の声もサンタの声も聞こえない。

忘れてならないのは、死にたいと思う人は最初から自殺の相談はしないということ。若手の社員から「人間関係で悩んでいます」と相談をされた上司、「若い頃は悩むもんだ」と激励して帰したら、翌日彼が自死した。声なき声に無関心だったと悔やんだ。それからは話が一段落したら必ず「他に何か悩みはないか。ささいなことでいいんだよ」と付け加えるのを口癖にしたという。見えないものを見、聞こえない声を聴くための方法がある。眼聴耳視（げんちょうじし）。「眼で聴いて、耳で視ること」

日本画の大家、東山魁夷は風景を見たとき、風景の方から私を描いてくれとささやきかけてくる場合にのみスケッチブックを開くという。よく「見れば」天の声が「聞こえ」、よく「聴けば」真実の「姿が浮かぶ」。しっかり見て聴く来年にしたい。食べすぎが心配なあなた、正月は「減食でなく眼食（げんしょく）で」。

初春から何してんだか

運が良いのか悪いのか分からないことってある。夜間の講義を終えて、後片付けに手間取っていた。突然、教室の照明が切れて真っ暗になり、「ガチャッ」と出入り口のカギがかかった。「しまった。閉じ込められた」

北九州市立大学本館の教室は全て中央で管理されている。授業が終わり、一定時間たつと自動的に施錠される。入れないし、中から出る方法も知らなかった。夕方6時過ぎで外も暗く、教室の中は真っ暗。室内電話の横に貼ってある電話番号一覧表も暗くて全く読めない。受話器を取ってやみくもにボタンを押したけれど、つながるはずもなかった。携帯電話も持参していない。出入り口をドンドンとたたいたけれど、外には誰も歩いていない様子。

「ウワー！　ここで一晩過ごすのは寒すぎる」と情けなく感じながら「待てよ。先ほどは電話番号を３ケタ押した。確か学内の電話は４ケタだった」と思い直し、もう一度受話器を取って、メチャクチャに４ケタのボタンを押した。

　すると呼び出し音が聞こえてきて「もしもし」と女性の声。助かったと思い、「すいません。心理学の中島ですが閉じ込められています。保安に連絡していただけませんか」「え！私いま授業中なんですが…。分かりました」と、私の切羽詰まった声に驚かれたようで電話は切れた。しばらく待つと足音がして、教室の外からその先生の声。「大丈夫ですか。もうすぐ解除されますから…」と駆けつけてくださった。

　ドアを開けるとその先生が立たれていた。私の顔を見るなり、「先生の後任で参りました○○です。ごあいさつが遅れまして」と言われた。びっくりした。私の定年後に着任された先生だった。私もいつかごあいさつせねばと思っていたのだ。「こんな形ですいません。中島です」と訳の分からないあいさつをしている自分が情けなかった。

　一方でやみくもに押した４ケタの番号がつながるのも奇跡的だし、出た人があいさつをせねばと1年以上思い続けた方だったという運の良さにびっくりした。

その日家に帰り、妻に「〝災い転じて福となす〟。俺は本当に運の良い男だ！」と胸を張って言ったら、「運の良い男は最初から閉じ込められないでしょ。フロ入って早く寝なさい」といつものように口に自動施錠された。

春4月、ストレスを楽しもう

結婚記念日の朝、妻に「記念日おめでとう」と言ったら、「あら珍しく覚えていましたね」と返された。確かに今年は珍しく数日前から覚えていて、同僚に話すと「何かプレゼント渡すのか？」と聞かれた。

「いや感謝の気持ちだけ」と言うと、「だめだよ。年を取ったら気持ちを形に表さないと。お金が一番だ！」と言われた。「年金生活だからお金はないよ」と言うと、すごい迫力で「そこを絞り出すんだよ！　俺なんか〝かす汁亭主〟と呼ばれながらも絞り出して頑張っているんだからな」と涙ながらに訴えられた。それで今年はお金を工面して渡したのだ。

若い頃、結婚記念日は契約更新日と言われたのを思い出し、封筒に「一年間よろしくお願いします」と書いた。すると「もうやめようかと思っていました」と言うからびっくりした。「自動更新ではなかったのですか？」と問うと、「それはお金が自動引き落としの場合でしょ」と軽く否定された。やっぱりお金を現金で振り込んでよかったのだ。

でも私の親友はもっと怖かったみたい。先日メールがきた。「結婚記念日に妻に『32年長かったねー』と言ったところ、『私にとっては33回忌や』と言われてドキッとした。女は怖いよ」とあった。

さて春4月はフレッシュな出会いの月である。人の出入りがあり新しい人間関係がスタートする。私たちがなぜ巡り合うのか、私たちはその理由を知らない。不安でもあるし、だから怖くなる。そんなときにどうするか。驚くほど簡単で効果のある方法は「ストレスのおかげでうまくいく」という思いこみ（心構え）をもつことである。逆にいうと現代人の一番有害で根強い思い込みは、「ストレスは害になる」である。

最近の研究では、ストレスはかえってその人を強くするとされる。「ストレスは良い効果がある」という心構えに切り替えるのがコツである。ハンディを抱えた人の素晴らしい笑顔とはつらつさ、「ストレス来いやー」の心構えのおかげであるとされる。どんな出会いのストレスであっても、それは必ずあなたを強くする。私は結婚して本当に強くなった。

耳から入る毒

幼い頃マンガを見ていると母親に「これは目の毒だ」と言われ、本を取り上げられたことがある。では耳から入る毒もあるのだろうか。ことわざに「聞けば気の毒、見れば目の毒」とある。毒を含んだことばが耳から入り心身の不調のもととなる。

卒業生が来た。せっかく入った職場をやめた理由を聞くと、職場の先輩たちの不満や人の悪口を聞くのがつらかったという。また心ないことばに深く傷ついたという。しかし、毒のない世界はありえないのだから、「耳からの毒」を解毒するのは自分の心を守るうえで大事なことである。

二つの技を伝えたい。一つは「毒べらしの術」である。これは耳から入った毒を瞬時に弱めるという高等技術である。やり方は至って簡単で信じがたいほどである。

例えば「君みたいなのを給料ドロボーというんだよ」と言われたら。「給料ドロボー」という毒語にシューッと一吹き、消毒スプレーを吹きかけるのだ。それが「確かに！」の一言である。毒への耐性をつけるには、昔の忍者がしたように少しずつ毒を取り込み、強い耳にすることである。「確かに」とつぶやくたびにあなたの耳は強くなる。これはゆっくりと毅然としてつぶやくのがコツである。

私はこの間、妻に「あなたのいい加減さを直しなさい」と言われたが、毅然と「確かに」とつぶやくとスーッとした。特に「妻」という字が「毒」に見える人にはお勧めである。どうしても納得のいかないときは、「確かに」の後に「しかしこの場合は違うよな」と自分にだけ聞こえるようにつぶやく。

次の技は「ユーモア耳栓」という。普段から楽しい話を耳にストックしておくと、毒の入る余地はなくなる。私は学生に楽しい話を聞いて耳の薬としている。

例えば、「アルバイトの面接に落ちた友人にその際の履歴書を見せてもらった。志望動機の欄に〝遊ぶ金欲しさ〟と書いてあった。それは〝犯行動機〟だろうと思った」。

もう一つ。「うちのおばあさんはもうすぐ夏なので美容院に行き、髪を短く切ってもらい、長いパンタロンとしゃれたシャツも買ってきた。何歳か若返った気になった。孫の一人に意気揚々とその姿を見せて尋ねた。『これでも、まだおばあさんに見える？』。孫は一言。『全然見えないよ。でもおじいさんに見える』」。…確かに！

ぎしんあんき（義心暗帰）

夜の講義に向かおうと、とある大学の非常勤講師控室を出た。すると若い男性が近寄ってきた。「○○のおいっ子です。叔父がよろしくと言っておりました」。名前を出されても誰か思い出せない。ひょっとして以前勤めていた職場の関係者かもしれない。でもよく分からない。知らないというのも失礼と思い、「アー、そうなんだ」と言ってから「よろしく伝えてください。ところであなたは今何やっているの？」と聞くと、「この大学を卒業して3年間働いたのち、今年の4月からここの大学院に入りました」と言う。「へー。何を研究しているの?」と話しながら講義をする教室の前に着いた。

何か悩んでいる様子なので「君、良かったらこの講義が終わったら時間取れるよ。一緒に何か食べるかね」と水を向けた。すると「えっ、いいんですか?」と言うから「ここに連絡先書いてよ」と言った。すると喜んで「ハイ!」と返事した後、「ところで司法書士の△△先生ですよね」と言われたので、「違うよ。メンタルヘルスを講義している中島だよ」と話すと、彼は慌てて「えっ! △△先生じゃないんですか。すいません。ヒト違いしました。でも、先生の講義を以前受けました。先生の講義中の一言が僕の大きな支えになりました」と言った。ついうれしくなって「間違われたのも何かの縁。良かったら一緒に食事するかね」と言ってしまった。

ただ待つのもムダだからと私の講義を受けてもらって、その後一緒に近くの食事処に行った。「経済的に大変で、あまり食べていない」と言うので「好きなものをドンドン食べなさい」といいカッコをした。悩みを聴くうちに夜も更けて最終バスに乗り遅れて午前様になってしまった。カエルの声でにぎわう水田の横をトボトボと歩いて帰宅した。

翌朝、かみさんに事の次第を話すと、「どうして知らないと最初に言わないの。仕事も大変なのに何してんの!」と叱られた。落ち込んでいたらその日の新聞で、ブラジルの大学総長のことばを見つけた。「一人の成長に貢献することこそ、教育者としての最大の幸福である」

救われた。けれどふと不安になったのは、本当に△△先生という先生はいるのかしら、ということだった。翌週知り合いの先生に、「〇〇のおいっ子です」と話しかけられませんでしたか、と一応確かめた。

君は何を伝えたいの

ファミレスで待ち合わせの時間まで仕事をしていた。若い夫婦と男の子の3人は私の前のテーブルに座った。

聞くとはなしに聞いていると、親二人はデザートを食べに来たのに、子どもはごはんものを食べたいと言い出した。母親は「さっき食べたのだからそんなに食べられないョ」と言うのに、男の子はガンとして譲らない。

根負けしたのか、子どもにはドリア。案の定、全部食べられない。とっくにデザートを食べ終わった両親は、グズグズ食べているわが子に説教し始めた。「だから言ったでしょう」と、厳しい口調の母親。15分以上責められていた。最後に「おまえはいつも親のいうことを聞かん」と父親の一言。子どもの悲しそうな顔に両親の「伝えたかったこと」は届いたのか心配になった。

アメリカの父親は三つのことを男の子に教える義務があるとされる。野球と、キャンプの火起こしと、釣りである。三つの活動はどれも、社会で生き抜くために「伝えたい人生の智恵」だからだろう。

映画「花よりもなほ」（2006年）を観た。監督は前作「誰も知らない」でカンヌ映画祭の話題をさらった是枝裕和さん。主人公はV6のメンバー岡田准一さん。父のあだ討ちのため、江戸の貧乏長屋で暮らす岡田。侍なのに剣の腕はカラシキだめ。頭では父の敵を討たねばならないと思うけれど、どうも自分の本心とは違う。狙う敵には妻子もいる。なおさら討てない。彼の、悩みながらも本心に気付く方法が参考になった。フト考えた。「父親はあだ討ちを通じてわが子に何を伝えたかったのか」

私はつい先日、上手に伝えてもらう難しさを実感する体験をした。重たい内容の授業だった。父親からの性的虐待を受けていた高校生の娘。2度の中絶。実在の夜回り先生を基にしたテレビドラマの録画ビデオを学生に見せた。

授業終了後、黒板を消していると、意を決したような厳しい顔つきで1人の学生がやってきた。私は深刻なビデオを見たので、思い切って相談を決意したんだろうと思い身構えた。「何、どうしたの?」「先生、はいっているんです」と下腹部を指しながら、そう言ったように聞こえた。

私は「やっぱり」と慌てながら「エッ！　何！」ともう一度問いただすと、「先生！あいているんです」とまた同じ動作をした。私のズボンのファスナーが開いていた…。

輝こうとするあなたに

脳の中で私たちは本を3冊も書いているらしい。「日記・辞書・物語」である。幼いときから、この三つを書きためているという。中でも〝物語〟は大切である。良い自分物語はすてきなテーマをもっている。しかし、自分で書いていながら、物語のテーマを知るのは難しいとされる。恩師の語った話を思い出した。

「3人のレンガ積み」の話。レンガを積んでいる3人に、何をしているのかを尋ねた。1人は「レンガを積んでいる」。もう1人は「壁をつくっている」。最後の男は「村に学校をつくっているんだ」。恩師はこの話をひいて「人生で大事なのは、隠された物語のテーマを自覚することなんだよ」と言った。

どうして最後の男は、そう言えたのだろうか。私は次のように考えた。3番目の男は「学校ができれば、村も変わる」「子どもたちも喜ぶよ」、こんな言葉を周囲の人から豊富にもらったに違いない。それに天の声を聞いたのかもしれない。言葉かけによって、その人の物語は育つのだと理解した。

ある子どもは、たった一人で電車に乗り、田舎に行った。迎えた祖母は「まぁ、一人で来たの。りっぱなお兄ちゃんになったね」と言いながら、その子をしっかりと抱きしめた。

子どもは思わずニッコリ笑った。祖母の言葉で不安だった一人旅の体験は「りっぱなお兄ちゃん物語」に変わったのだ。

逆もあるだろう。努力した工作を見た母の一言「ここを直すと、もっといいね」。この言葉で「いつも欠けている物語」はスタートする。大人の言葉かけは、良い物語へのきっかけ作りに重要である。

私は授業中に出席カードを一人一人に配るとき、冗談のつもりで「こんな授業によく来たね」と、言葉を添えて配ったことがあった。すると、授業の感想に「よく来たね、と学校で初めて言われてうれしかった」と書かれて感動したことがあった。普段は学生の「がんばり物語」を〝当たり前〟という足の裏で踏みにじり、別の物語にしているのではないかと反省した。

ある町の教育長さんと話した。「生き生きと思い出す記憶と、好きな言葉は何ですか」と問うと、「20キロの自転車通学と、好きな言葉は父親によく言われた〝渾身（こんしん）と献身〟」と言われた。なぜそれが彼の誇りある物語なのか、見送りに来られたときに分かった。生来の不自由な足だったのだ。父の言葉に育てられた「不屈の物語」が鮮明にうかがわれた。

私たちもすてきなテーマをプレゼントされているはず。思い出して、誇りある物語を書き進めたいものである。

いい〝ゆ〟だな

「のどから手が出るほど欲しい」という。人生には、本来声しか出せない〝のど〟から〝手〟を出したいほど欲しいときがある。お金に困った人の前に積まれた現金。こうすれば簡単にもうかるというウラ技。私の場合だと、絶対に生える養毛剤。目の前に置かれると心は乱れて、のどからどころか、目からも耳からも手を出したい。それを抑える力はどこから生まれるのだろうか。

ある高校に招かれた。ちょうど3年生の試験中。ピーンとした緊張感に足音を忍ばせた。教室の前を通り過ぎていくうちに妙なことに気が付いた。どの教室にも試験監督がいないのだ。訳を聞いた。「生徒たちはカンニングしても意味のないことを知っていますから」との返事だった。なるほど。生徒たちの目的は学力の向上なのだ。目の前の結果に関心はあるけれど、とらわれずにもっと先を見ているのだ。

あるテレビ番組で怒りの心理学をやっていた。実験の協力に来た人たちを喫茶店で待たせる。失礼極まりない接客態度のウエイターとマスター。わざと怒らせて心拍数を上昇させる実験である。皆すごく怒るのに、ただ一人全く心拍数に変化のない男性がいた。その人の考え方を聞いて、なるほどと思った。

「私はここにコーヒーを飲みに来たのではなく、目的は時間調整。コーヒーについての問題は関係ないのです」。やっぱりさっきの高校生たちと同じだ。眼前の問題の向こうにある真の目的を見ているからうろたえないのである。

関西の出版社から顔なじみの営業マンがきた。この話をすると大阪ではやっている川柳を教えてくれた。「えらいこと　できましてんと　泣きもせず」。大変なことになった時でも余裕のある一言の必要性を感じさせるうたである。いいなー。やっぱりゆとりは大事だな。私ものどから〝手を出す〟前にニッコリ笑って〝声を出したい〟と思った。

ある本に、どんな時でも五つの湯（ゆ）を大切にと書いてあった。「ゆとり・ユーモア・勇気・夢・友人」である。こんこんと湧き出でる五つの湯につかっていると、のどからは手は出ずに鼻歌が出るだろうな。心がけていたら教えた学生からレポートが来た。

「先生の、人生を諦めたともとれるほどの脱力した人柄を目の当たりにしたとき、いら立ちさえ覚えました（笑）。しかし授業時間を重ねるほどに、私の苦しい生き方に気が付きました。これからはもっと肩の力を抜いて楽に生きていこうと思います。眠いながらも受けてよかったと思える授業でした」

うーん。褒め上手だなー。この日は心のぽかぽか温まった一日だった。

山芋（病も）いいもんだ

「いいですね、昨日より右手が下がりませんね」。看護師さんの一言でうれしくなる。マヒした右手が回復してきたのだ。忙しいのと無理がたたって、脳梗塞で入院となった。幸い早い処置とダメージの場所が良かったので、半月ほどで退院できた。

しかし再発のリスクが高く、2度目は後遺症がひどくなるので「ノウこうそく、ノウリターン」といわれる。私の前のベッドの人は3度目の入院で、病院のスタッフに「しばらく来ないから、心配しとったとよ」と冗談を言われていた。

予防は生活の改善。毎日の睡眠時間を長くする。それに栄養の管理である。人間は「血管とともに老いる」。血管がボロボロになる最大の原因は食べ物だろう。ストレスも良くない。仕事に張り切り過ぎるのもいけない。

考えると不思議だった。ちょうど父が亡くなった同じ年齢で同じ病に倒れたことになる。死ぬところを父が助けてくれたように感じた。偶然にも入院中の病室は、父と同じ年齢の人が4人、まるで父の分身と過ごす毎日だった。私の幼年期の若松の思い出。満員で立ち見の映画館、音楽、お祭りと父がバリバリ働いていた頃の姿を思い出した。

退院して映画「ツナグ」（監督・平川雄一朗、2012年）を観た。死んでしまった人と会わせてくれる案内人の話。一人だけ会えるとしたら、父と会って話がしたいと思ったのは入院したからだろう。退院してつえを片手に歩いていると、のんびり生きるのもいいもんだという小さな悟りを開くことができた。病気のおかげである。

映画の中で女優の樹木希林（きききりん）さんの詠む詩がすてきだった。パンフレットの最後に紹介してあった。その一節「…人の為に働くよりも。謙虚に人の世話になり。弱って、もはや人のために役立たずとも。親切で柔和であること。老いの重荷は神の賜物。…」。身に染みることばだった。

退院後、授業や講演会のまくらの話が増えて助かっている。「いやーびっくりしました。都市高速は乗ったことありましたが、〝のうこうそく〟は初めてでした。〝のおがた〟と〝おりお〟の間を結ぶ、〝の・お・高速〟かと思いましたよ（笑）」。高齢者大学校では「小さい頃はロカビリーでしたが、今はリハビリーですわ（笑）」「脳梗塞には山芋。どうしてかって！」。

指輪・物語る

エレベーターで学生に囲まれる。「君たち、最新式の携帯電話、見たことあるかね？」と聞く。そこで耳から小さな黒電話を出すのだ。みんなビックリして、次に笑い出す。エレベーターの中はパッと明るくなる。耳から出てくるミニ電話は、どんな冗談よりも雄弁だ。デパートで売っている電話型のマグネットである。

根性のある五円玉も面白い。輪ゴムの坂道を必死で上っていく。タネを明かすと簡単なのだが、見ている人を勇気づける。このほかに、コンビニでもらった小さなスプーンも役に立つ。疲れたような学生には「これで、おいしいものでも食べなさい」と手に持たせるのだ。こんなふうに人と人をつないだり、和ませてくれる小物を、私は「コミュニケーション・グッズ」と呼んでいる。

物は人を元気にしてくれる。人と人を結ぶ不思議な力と、人に語りかけることばさえもっている。いのちのたび博物館で開催中の「始皇帝と彩色兵馬俑（へいばよう）展」。2000年以上を経た、物の持つ圧倒的なパワーに驚かされる。人以上に語る「物の声」を聞いたようで、生きる元気をもらえる。

物を演じて自分を変える心理療法に心理劇（サイコドラマ）がある。自分や他人や物になって劇を演じる中でさまざまな〝きづき〟がある。劇の世界では人はもちろんのこと、お金になったり服や車や月にもなれるから楽しい。「物の身になる」と、人のこころもよく分かるようになる。

そんな心理劇を学習してきたお母さんの話。子どもにセーターを着せていると、「重いよ！」と子どもが言った。これまでなら「そんなことないでしょ」と言ってしまうところを、物の気持ちになる体験のおかげだろうか、「分かった！　子豚さんが3匹もいるから重いんでしょう」と自然に言えた。子どもはとてもうれしそうにニッコリ笑った。セーターに描かれた3匹の子豚。そこに母と子を包む、柔らかく温かな空気が流れた。母親はセーターの声を確かに聴いたのだ。

子どもはいつも物と語り合っている。結婚生活の真実を見てきた古い指輪には気を付けた方がいい。私の友人は娘2人を連れて結婚式に行った。その後2人の結婚式ごっこ。お母さんの指輪を出してきて。姉「愛することをチガイマスカ？」、妹「ハイ、チガイマス」。

大学と傘とおじさん

「試してみよう！」と思った。雨足の強い昼休み、大学の学生食堂の入り口は混雑していた。傘立てに傘を入れたまま食事をして、傘がなくなるかどうか試そうと思ったのだ。

その昔、私の学生時代に大学の中でカギをかけずに自転車を置こうとして、大阪から来ていた同級生にびっくりされたことがある。「とられへんのか？」「うん。大丈夫だよ。とるようなヤツおらんよ」。信じられないという顔。それから1時間後、戻ってきてもそのままだった。大阪ではありえないと言っていた。

あれから40年。今の時代どうなっているのか試したかったのだ。ところが、食事をして戻ると傘が見当たらないのだ。「えー！　これが現実かぁ」とがっかり。濡れながら研究室に戻った。

その日の夕方、パラパラ雨に変わっていた。夕食を食べに再び学生食堂へ。ひょっとしてと傘立てを見たら、何とそこに私の傘があったのだ。うれしかった。さすが大学生。ちょっと借りただけだったのだ。私だってちょっと借りることもある。やっぱり大学はこうでなくちゃー。何だかうれしくなって足取りも軽くなった。

大学は理想と憧れを追求し、強く、賢く、善良な人間を育てるところである。大学人としてその誇りと希望を失うわけにはいかないものだ。

私は家に帰って、傘の一件を妻に自慢げに話した。すると「人を試そうとするなんて、よくないでしょう。それにあなたはボーッとしているから、きっとはじめに置いた場所を忘れていたんだと思うよ」と言われた。

やまびこ学級

とにかく暗かった。若い頃「オッサン」と呼ばれていた。昔を知っている妻によれば「よくいえばカゲのある、正しくいえば本当に表情が乏しかったね。みんな話しかけにくいといっていたもの」と言われた。

そういえば、大阪の教師時代に保護者会で言われた。「子どもが怖がっているので、標準語ではなく関西弁でしゃべってください」。その時は九州男児に無理言うな、と思ったけれど、親しみにくいということだったのだ。ずいぶん気を付けているけれど、今でも学生から「怖い・とっつきにくいと思った」と第一印象の悪さを言われる。

どうして表情が固かったのか。古い記憶をたどってみた。これかもしれない。小学校5年生の2学期。担任の代わりに来た男の先生からいきなり「なにニヤニヤ笑ってんだ!」と頭をこづかれたのだ。びっくりしたしショックだった。ふざけているつもりはなかったし、優等生的だった私はそんな扱いを受けたこともなかったからだ。気の小さい性格も重なり、それ以降意識して固い表情をするようになった。

心理学からも、顔の表情や見た目の効果は全体の印象の55%という報告がある。以前、暗いと言われ悩んでいた人が見違えていた。返事と笑顔をセットで「はい、ニコッ」とするようにしただけという。「笑って青山を仰げば、山また笑う」。こちらが笑顔をつくれば相手もニッコリ笑うのだ。

近頃では、鏡に向かってニッと笑う練習をお風呂でしている。家族の言葉にも負けない。「昔はカゲがあったらしいけど、今はハゲやね」。カゲ口にもニッ!

お父さん大好き

お父さんと息子。その関係は年齢で変化するようだ。

友人が絵本を貸してくれた。動物の子どもたちのおしゃべりから始まる。ゾウの子は言った。「ぼくのお父さんはねえ、自転車に乗るのがとても上手なんだ」。カバの子も負けてはいない。「私のお父さんなんか、自動車の運転ができるのよ」。次から次へとお父さんの「運転自慢」が始まった。ところが、クマの子は言えない。お父さんは何も運転しないのだ。家に帰った子グマはお父さんに聞いた。「クスン、お父さんはどうして、何も運転できないの」

すると、お父さんはこう言った。「お父さんは地球の運転手さ。それにね…来てごらん」と、子グマを肩車して歩き出した。「そら、きみも運転手だよ」。子グマはニコニコ笑顔。子どもの心は健康なプライドでいっぱいだろう。絵本の題名は「おとうさんだいすき」(司修、文研出版、1978年)。

小さい男の子にとって父はヒーローだ。私も幼稚園と小学校の頃、船の絵ばかり描いていたのを思い出した。造船所で働く父親が大好きだった。

反対に悲しい話もある。少年院での記録。非行に染まりだしたきっかけは、小学校5年のときに聞いた「今の人生に後悔している」という父親の言葉だった。ショックを受け、自分は父親のように生きるのは嫌だと思ったという。どんな失意のときでも、人生に夢と希望の意味づけを子どもに与えたいものである。

父と息子の関係は青年・成人期になると微妙になる。男子学生相談で多いのは、偉大な父親をもった悩みである。アニメ映画「ゲド戦記」（２００６年）の監督は宮崎吾朗さん。父親はアニメ界の巨星、宮崎駿さんである。経験不足を理由に父親から監督就任を反対される。これに反発して初監督に挑戦。映画の冒頭には原作にはない父親殺しを描いた。父子関係の葛藤と緊張感が映画に反映して、初々しい作品となった。

それでもやはり映画の完成後、出来上がりを父はどう思うか気になった吾朗監督。３日後、父からの「素直な作り方で良かった」という伝言を聞いたとき、「心の底からうれしかった」と記者会見で答えた。肩車をしてもらって地球を運転した昔を思い出したのかもしれない。「おとうさんだいすき」…いいなぁ。

わが家の場合、偉大な父で子どもが苦労するケースだと心配していたが、大丈夫だ。「お父さんの好きなところを言ってください」と問われた、うちの子どもの答え。

「焼き鳥屋さん」

月

平和の月・8月

平成最後の8月が終わった。天皇陛下はかつて宮内記者会の席上、日本人として「忘れてはならない四つの日がある」と言われたという。8月6日(広島原爆の日)、8月9日(長崎原爆の日)、8月15日(終戦記念日)、6月23日(沖縄戦終結の日)の4日である。

その4日間の意義を全て身体に刻もうと小倉祇園太鼓と沖縄エイサーで編成した「太鼓と平和を考える学生連絡協議会」(太平連)を立ち上げた。その学生メンバーとともに、今年も8月9日長崎原爆の日に「第9回学生平和太鼓フェスティバル」を開催した。その会場には8月6日に八女市星野村で採火した「広島原爆の残り火」をランプに移し、「平和の灯」として安置した。

この「平和の灯」を前かごに入れて小倉をスタートした自転車リレーのママチャリ2台は、猛暑の中を長崎市内を目指して力走。長崎街道230キロをひた走った。5日後の8月14日に長崎市立城山小学校に到着。北九州市立西小倉小学校から預かった、千羽鶴と平和メッセージを届けた。翌8月15日、終戦の日、正午のサイレンの後に長崎平和公園の平和祈念像の前で小倉祇園太鼓をたたき、その音とともに広島の「平和の灯」を奉納して今年のピースウイークを終えた。

「平和の再考」「核廃絶」をテーマに掲げた広島と長崎を結ぶこの活動も、今年で9年目になる。これまでの日本を見つめ、これからの日本を担っていく学生がこの活動を展開することに大きな意味があると考える。

北九州市は被爆地となりうる都市であった。しかも二度。北九州のふしぎの背景には多くの犠牲者がいることを決して忘れてはならないし、その使命と責任を自覚したい。

今年の活動中にもふしぎなことが起こった。8月9日、「サー今から平和の太鼓を打ち鳴らそう」と司会の声が響く紫川水上ステージ。長崎に原爆が落とされた午前11時2分直前。突然、一陣の風が吹き荒れて、会場横に置いてあった太平連シンボルアートである憲法第9条を描いた長さ2メートルの「大型の額」が吹き飛ばされて、紫川に落ちたのだ。

走って駆け付けた学生数人とで川面からすくい上げた瞬間、原爆投下のサイレンが鳴り始め学生とともに黙とうした。その時私は、水上ステージ上空から、その前日の夕刻に亡くなった翁長雄志沖縄県知事の「手放すな！」の大きな声をはっきりと聞いたのである。ご冥福を祈りたい。

笑顔の人生のコツ

スポーツ心理学ではテニスをする人は心の中でもテニスをするという。心の中に2人の自分がいる。1人は「もっとボールを見ろ」「わきがあまい」などと指示や評価をする人。これを「セルフ（自己）1」という。その横でテニスをしている当人を「セルフ2」とした。外でやるアウターゲームに対して、心の中でのこのゲームは「インナーゲーム」と呼ばれる。

面白いのは「セルフ1」の話す言葉は普段コーチや他の人がよく言う言葉だということ。「だめじゃないか」とよく言われる選手は、否定的な言葉を言う「セルフ1」を心に住まわすようになる。「セルフ1」は理論家のコーチ。正しいことも言いすぎると、かえって「セルフ2」を混乱させ自己否定させる。言われる「セルフ2」は脳機能に素直な感覚人間。

インナーゲームで明らかになったのは、会心のプレイは「セルフ1」が黙っているときに起こるということである。無心のプレイが実現される。良い「セルフ1」の態度は、沈黙することとだ。この理論はスポーツだけでなく、子育てや人を育てる教育界でも参考になる。また自分の生き方のヒントになる。「セルフ1」を黙らせ生き生きするには、目の前の日常的な体験に、感動的に感覚的に反応して生きることのようだ。

いつも不思議に思うことがあった。タクシーに乗って運転手さんに話しかける。「なんか、ワッと笑えるような話はないですかね？」。すると「ないですよー。こんなご時世に、笑える話なんかないですよー」。面白いのはその次。どんな気難しそうな運転手さんでも必ず笑うのである。

どうしてだろうかといつも不思議に思っていたが、インナーゲームの考え方で納得した。お客さんの「何か面白いことない？」という普段あまりされない質問に、運転手さんの「セルフ１」は虚をつかれて黙ってしまう。その間に自由になった感覚人間の「セルフ２」が生き生きと動き出し、つい笑うのだろう。

気難しい生き方が変化する瞬間を見た学生の話を聞いた。「高校の部活の先輩はとても気難しそうで話しかけにくい人だった。ある日部室の掃除をしているとき、冷蔵庫から賞味期限切れのお寿司が出てきた。すると先輩は笑顔になって〝時すでにおすし〟」。「セルフ２」の実力おそるべし！

若者よ、困難に耐えよ

４月、いろんな出会いやつらいことがある。今から40年近く前、勤めていた会社の大阪出張所に転勤になった。言葉が違い、異国に来たようで心細かった。

不思議なこともしばしば起きて驚いた。新しい自転車のベルのフタだけが消えた。玄関前の傘がすぐに蒸発したのにもびっくりした。入社２年目で初めての営業職。客との世間話は関西弁に戸惑い、うまくできない。電話の応対もスムーズでない。自分の未熟さが身に染みた。先行きの不安と劣等感ばかりが大きくなった。

もんもんとしていたとき、出張帰りに立ち寄った和歌山城の敷地で、お城の建つ虎伏山（とらふすやま）にちなんで建てられた虎の像に出会った。私がトラ年だからか、伏せた大きな虎の像はいきなり話しかけてきた。「オレをしっかり見ろ。ゆうゆうと伏せていればよい。必ず雄飛するときがくる」

その言葉と伏せた姿勢は心の中に染み込んだ。私の胸の中で、つらさに耐える力と大きな希望と勇気になった。薄っぺらなプライドを粉砕してくれたのだ。それ以来つらいときにはいつも伏虎を思い出した。おかげで妻の厳しい言葉にも身を伏せてやり過ごすことができた。職場の人間関係に悩んだときも「ネコに虎は分かるまい」と伏せていた。

40年近く人生を導いてくれた虎にお礼を言いたくて、先月和歌山城に立ち寄った。10年前に一度行ったことがあったけれど、城内が広くてどこにあるか分からなかった。和歌山城に行ったことのある人に聞いても「そんな像は知らない」という。夢だったのかしら。不安に思いながら大手門から入ると「やっぱりいた！」。うれしくて、大きな手を何回もなでた。

私は虎の姿勢と一言に救われたけれど、店員さんの態度に感動し、そしてがっかりしたことを学生が報告してくれた。その学生がレストランで感動したこと。「お水ひとつ」の注文をわざわざ繰り返し、さらに手に書いているひたむきな店員さんの姿に感心したという。そしてがっかりしたことは、その水が来ないこと。でもその学生に私は言いたい。がっかりしなくていい。伏せていればいい。きっと水は来る。

当たり前は元気のもと

頭の毛が薄くなりとても気にしていた。あるとき理髪店に行って、「薄くなったなー」と正直につぶやいてみた。店の人の「そうでもないですよ」の一言を期待した。ところが相手は黙っていた。がっかりしたけれど、その話題を避けていたときよりは、何だか気持ちが前向きに強くなった気がした。先輩の言葉を思い出した。「欠点や弱点を正直に人に言えるようになると、欠点からくる害から免れる」と。弱さを認める強さだろう。

「生きてるだけでだいたいOK」(講談社、2007年)という本を出した、手品師のマギー司郎さん。若い頃、視力も弱く手品もなかなか上達しない。ある時「マジックうまくできないんですよね」とお客の前で正直に話した。そのときのマジックは大いに受けた。だんだんと分かってきた、自分の欠点を隠そうとしていたときは手品が受けないことを。弱点や欠点を隠さずにありのままの自分を出していくうちに、「おしゃべりマジック」という新境地を拓き、第一人者となった。

「言われた言葉をいつも胸において頑張りました」と以前会った母親からうれしい知らせが届いた。私の言葉「自分自身がどうあれば幸せかをまず考えることです。もし今、子どもたちと離れることになっても、必ず、あなたのもとに帰ってきます。心配しないで一番を自分において考えることです」。

彼女はそれまで、一番は「子ども」と考えていたので目からウロコだったそうだ。その後、夫と別れ、まずは幸福で自立した人生を目指して5年。その結果思わぬことに、今回子ども3人の親権を勝訴したとの報告だった。

人間関係のコツは悩まないこと。例えば子どものことで悩めば悩むほど、子どもが悪者になる。だから決して悩まずに「まず自分が幸せになること」を考える。幸せになりたい当たり前の気持ちを正直にまっすぐに生きる勇気が一番大事なようだ。悩むことのない素直な言動は周囲をも元気にする。

学生に聞いたそんなまっすぐな応答。夕方の教育テレビの一場面である。さわやかなお兄さんが子どもの疑問にこたえるというコーナーだった。子ども「この間、シャンプーしていたら泡が目に入ってしまってとても痛かったです。どうしてですか？」。お兄さん「いい質問だね。この世にあるものはたいてい、目に入れると痛いんだよ！」。

一本！で変わる

ふるさとと離れて大学生になる。私のゼミ生で一番遠いのは新潟から来た翠（みどり）さんだ。よく気の付く振る舞いと、場を和ませる茶目っ気が見事に調和していた。ご両親の愛情と雪国の環境に育てられた人柄の温かさだろうか、後輩からも「みどり先輩」と呼ばれ、ずいぶんと慕われていた。

平和活動や小倉祇園太鼓サークルのメンバーとして活躍。この4年間、彼女には大いに助けられた。祇園太鼓のジャンガラも板に付いたものとなった。大学サークルでは落語研究会に入っていた。新潟は昔話の宝庫である。話がうまい。卒業論文も「落語の心理学的考察」。人権課題を素材にした創作落語に挑戦した。こんな話だ。

川に洗濯に行ったおじいさんは桃を持ち帰る。その桃から産まれた桃子。長じて出かけた鬼が島、今では高齢化に悩む島となっていた。お供は「蛇、イノシシ、わし」。彼らの活躍で島はよみがえり平和の島となる。なぜその3匹か。わけが最後に明かされてオチとなる。なかなかの力作である。〝へ〟び、〝イ〟ノシシ、〝わ〟しで「へいわ」。

彼女の高校時代のエピソードを聞いた。国語の先生と交渉したそうだ。「先生！国語のテスト98点でした。この1字のミス大目に見てくだされば100点なんです」。間違ったのは漢字の書き取り。「幸せ（しあわせ）」を「辛わせ」と書いてしまった。これでは「つらわせ・からわせ」で「しあわせ」ではない。慌てて筆が滑ることは誰にでもある。大目に見てもらえれば100点になる。言葉を尽くして交渉したらしい。すると先生、「うーん！一本取られて〝しあわせ〟になれない。一本足りなくて〝つらい〟んだよね」と笑いながら言った。確かに、「辛」の漢字に横一文字の〃一本〃を書きくわえれば「幸」になる。だから先生の言った通り「一本取られて不幸、一本なくて辛い」となる。先生のユーモアを引き出したのはさすが、みどりさんである。

彼女の話を聞いて思った。辛（つら）い人生を瞬時に幸せに変える「一本」はあるのだろうか。それは何だろうと考えた。落語を趣味に周囲を明るく照らしていた彼女を見ていると、それは「ことばの力」のように思えた。つらいときでも、それをことばにして聞いてもらうと楽になる。

そういえばこの間。大好きなカリントウを食べて「幸」せな気分でいたら、かみさんから「血糖値また上がるよ！」と取り上げられた。急に味が「辛」くなった。「一本」取られたのだ。

渾身

やる気もなくなり、うまくいかない時どうやってしのぐか、振り返ってみた。①ふて寝する、②お酒を飲む、③他のことで忙しくする、④黙り込む。でも普段一番よくやるのはお風呂で歌うこと。妻は独り言だというけれど歌っているのだ。口にするのは、いつも同じ。ネットで調べたら元歌とは歌詞もリズムも外れていた。

西郷輝彦さんの「青年おはら節」だ。困難なことでも誰かがやったことなんだから、自分に歯の立たないことはあるものか。この歌を湯舟で口ずさむと、何だか勇気が湧いてくる。歌うと余裕が生まれる。負けるもんかと力が出てくるから不思議である。と思っていたら、世間は狭い。同じことを言っている詩人がいた。

年齢ではなく、人は「理想を失うとき初めて老いる」で有名な詩人サムエル・ウルマンである。「どうってことない」と題された短い作品。「頭が白くても　どうってことない心と考えが若ければ　心の中に灯があれば　くちびるに歌があれば」（角川文庫）

そう！　そう！　くちびるに歌さえあればしのげる。今年の目標を立てなければ。今年はサムエルに習ってパワーアップ。「くちびるに歌」に加えて「心の中に灯があれば」を意識したいと思った。先輩の先生からも教えられた。「教育は相手の魂に火をつけること」と。

映画「渾身」（監督・錦織良成、2013年）を観た。相撲の原型をとどめる「隠岐古典相撲」が描かれている。隠岐の島が舞台。20年に一度開催される神事の相撲大会。その相撲の魅力は「1勝1敗の精神」。同じ人と2回勝負して2回目は最初に勝った方が負ける決まり。強い人間が勝って終わるのでなく、相手をおもんぱかる気持ち。負けた方の心にも灯がともる。支え合う人の心が描かれていた。

モントリオール世界映画祭で評判を得た。強いものが勝つだけという世界の風潮に対して、「負けの中に勝ちがある。勝ちの中にも負けがある。対立でなく調和と協同・非暴力」という「日本の心」が画面からあふれていたからであろう。

映画から戻ると、締め切りが間近なのにいまだに卒論を提出していない私のゼミ学生T君からメール。「間に合わないですが、ようやく手がつき始めました。絶望感しかないです」。キター！　さっそく彼の心に灯をつけに行かねば。いやしかし彼の場合、心にではなく「尻」に火をつけねば。

笑いのある家族が大事

強くて優しい人になるには五つの湯（ゆ）がいる。ゆとり・ゆうき・ゆめ・ゆうじん・（　）。最後の「ゆ」は何だと思いますか？

保育園で歌を聞いた。ずらりと並んだ2歳児のかわいい歌声。歌っている最中に1人の女の子が小さなヘアブラシを落とした。「アラッ」と見ていると、2人横の女の子が拾って手に取り、面白そうだと扱い出した。すると2人の間にいた男の子がサッとそのブラシを取り上げて落とし主に戻した。一瞬の出来事。歌も良かったけれど、私はこの男の子の自然な振る舞いに驚いた。

大人になって正義感や思いやりと呼ばれる人間性の豊かな芽を、2歳児の育ちの中に目の当たりにしたからだ。聞くとその子も家族もよく笑うという。

最近の脳科学では、人間の右脳と左脳の区別の他に、上部と下部の機能を分けている。脳の上部がよく働いている子どもは、①感情をコントロールできる、②後先を考えて行動する、③他人がどう感じるかを推し量ることができるという。これらの資質はどれも「幸せになる」のを手助けし、困難を「乗り切る」助けになるものとされる。これらの力のもとは厳しいしつけではなく、幼児期のユーモラスで楽しい家族関係の中で培われていくもののようだ。もうおわかりでしょう。冒頭の（　　　）の回答は「ゆーモア」。

学生が語ってくれたユーモアのある話。2人とも豊かな人間性を備えるに至った学生である。「私が小さいとき、夏の暑い日だった。母から『夏ふうに髪を切ってもらいなさい』と言われ、近くの床屋さんへ向かった。小さい頃私は母に対して絶対の忠誠心を払っていたので、母の言ったとおりに(私にはそのように聞こえたので)『ナスふうにしてください』と伝えた。床屋さん『ナスでいいの?』。なぜナス風なのか分からなかったが、母のことばは絶対だった。『それでいいです』と言い通して、ナスのヘタのような髪形で家に帰った。家族皆大笑い」

2人目。「私が小さい頃、母とサラダを作っていた。トマトを落としてしまったので『落とした』と言うと『お父さん用にしなさい』と言うので、私は素直に父の皿にそのトマトを乗せた。すると母は『あれ、それは落としたやつでしょう。もう捨てなさい』と言う。

私が不思議に思って聞き返すと、母は『お父さん用にしなさい』ではなく『落とさんようにしなさい』と言ったのだった。2人で大笑い」

笑いで深刻仮面がはがれる

天地無用、など、誤りやすいことばが新聞に発表されていた。私も引っ越しの箱に貼ってある「天地無用」のシールを「上下気にしないでよい」と長いこと解釈していた。気にしないといけなかったのだ。ことばについては解釈違いもあるが、言い間違いもある。ばったり魚町で会った学生。私のキチンとした服装を見て、「〝変装〟してどうしたんですか」と言った。それをいうなら「正装」だろう、とムッときた。けれど近頃はいい年のとり方をしたいのですぐにカッとしないで、これはユーモアだと喜ぶように修行している。

先日、授業後の学生の感想に「〝寝耳に水〟のような話でした」とあった。名人芸の授業だからよっぽどびっくりしたとは思うけれど、ここは「目からうろこが落ちました」と書いてほしかった。しかし確かに授業中に寝ている学生を見ると、寝耳に水をさしたくなる。眠くなる授業ではなかったと伝えたかったのだろうと思うと、つい笑みがこぼれて幸せになった。コメントを書いた彼女に感謝である。

前を歩く小学生の会話「〝ぜんにん〟の校長先生の代わりと言っていたから〝あくにん〟

かなぁ」。思わず吹き出したくなる会話である。「君たち（ユー）もっと（モア）笑わして、がユーモアである」と思った瞬間だった。

しかし、現実社会はそう簡単ではないようだ。学生の質問「コンビニでアルバイトをしているのですが、ちょっとしたことでブチギレする人は何であんなにキレるのでしょうか」。不安と怒りの充満する現代。ますますユーモア力は必要だ。ユーモアは深刻ぶった仮面をはがし、空気を変える優れた道具だとされる。ピッタリの学生の報告があった。

「あるとき、私の住んでいる地域で空き巣が出るなどぶっそうなことが続いてあった。そんなとき、怪文書がばらまかれた。その内容は〝〇〇地区には仮面夫婦がいる〟だった。私は気味が悪かったので見て見ぬふりをしていたが、その日のわが家の食卓で母が小声でしかもまじめな顔で、『なんか近所に、おめん夫婦がいるらしいね』と言った。家族は大爆笑。『仮面やろ』と突っ込んだが、その笑いのおかげでこの怪文書が本当に大した問題ではないように感じた」。ほらね。空気が変わった。

分かってない

学生を見ていて心配なのは「知る」を「分かる」と早合点する点である。手元のスマホで調べたことは「知った」のであって、「分かった」のではない。分かるとは「腑（心）

に落ちる」ことである。分かるには心の「知・情・意」の三つの機能をバランスよく使うことだ。「知」だけに頼ると失敗する。いい例が絵本のクイズにあった。

「2人のお父さんと2人の息子が魚釣りに出かけました。1人1匹ずつ釣れました。でも釣れた魚はぜんぶで3匹でした。どういうわけか分かるかな」と尋ねられる。私たちは「2人の父と2人の息子」といわれると、つい4人で行ったと知的に判断する。そして思い込みがふくらむ。「全部で3匹しか釣れませんでした」といわれても、今度は最初の4人にとらわれて、つじつまを合わせようと「大きい魚が小さい魚を食べたのだ」とか理屈をつけようと躍起になる。

正解は「釣りに行ったのははじめから3人。男の子と、男の子のお父さんと、男の子のおじいさん。つまりお父さんが2人と、息子が2人。だから3匹でいいのだ」(福本友美子訳「どうしてかわかる?」晶文社、2005年)。

解答の分かる子どもがいる。おじいさんと同居し、自分のお父さんと、父親のお父さんという「2人のお父さん」を体験している。さらに自分の背後にずーっと続く多くの〝お父さん〟を心のどこかで感じている。

彼は「親子のイノチの物語」を毎日生きている。知るにとらわれて分かったような気になる危険性を防ぐには、普段からその人の「話」にではなく、語る「物語」を大切に扱う癖を身に付けることである。人は皆、自分の物語をもっている。それに、勝手な「知る」

を加えて違う物語にしてはいけない。その人の語る物語を尊いものとして受け入れたい。自分の最初の「知る」にこだわり、相手の物語を分かろうとしない人の例を学生が教えてくれた。

「忘れもしない前期の講義。私はある男性に話しかけられた。彼は言った。『久しぶり、小学校の時以来やね。高田君。髪形も変わったし、コンタクトに変えているし、気がつかんかったよ』。私は『すみません。私は大山です』と返した。すると『ええ！ 名前まで変えたの？』」。先入観こわし。

家族

わが家は子ども3人。末っ子の長女が5歳の頃、食事中に大きな声で叫んだ。「この家でお母さんから生まれていない人が一人だけいる！」。「オオ！ ついにばれたか」と慌てた。「お前だけ関係ない」と言われた気がしたのだ。

しかし、それは心配なかった。よく聞くと、「そんな人がいても家族は仲良しなんだ」と言いたかったのだ。子ども3人、ありがたいことに大人になってもみんな仲が良い。私は仕事ばかりであまり遊んでやらずに、決して良い父親ではなかった。妻の采配のおかげだと思っている。

血のつながっていない私にも、そこそこ優しい言葉をかけてくれた。子どもにかんしゃくを起こしたのを見たことはなく、いつも楽しそうによく笑っている。妻は人の機嫌を取るのはうまくはないけれど、自分の機嫌を取るのはうまいといつも感心する。

どんな家族が理想なんだろうか。自閉症の当事者で作家の東田直樹さん。自分の生い立ちの経験から、子どもが幸せだと思う瞬間は「家族が幸せそうにしているのを見たときです。子どもが望んでいるのは、親の笑顔と受け止めてもらえる場所だと思います」と言っている（『あるがままに自閉症です』エスコアール、2013年）。

自分のために親が不幸な顔をしているのは、子どもにとってどんなにつらいだろうか。不幸な親は子どもを幸福にはできない。自分が幸福になること。幸福でなくてもよい、幸福のふりをして笑顔でいることは、子どもにとってありがたい親なのである。

サルを長年見続けてきた霊長類学者によれば、ヒト以外の霊長類にはなくてヒトだけがもっている素晴らしい能力は「褒める」であるとしている（中道正之『サルの子育て　ヒトの子育て』角川新書、2017年）。笑顔は時に百の褒め言葉より優れる。「百言一笑」である。それを阻む最大の敵は「疲れ」である。疲れたら正直に休むこと。家族に遠慮はいらない。

学生に聞いた話。「私の母は看護師をしていて、毎日忙しくしています。そんな中でも欠かさずお弁当を作ってくれています。ある日いつも通りに渡されたお弁当。少し軽く思いましたが、そう気にもせずに学校に行きました。昼、お弁当を開けると『母は疲れました』と書いた紙と500円玉が入っていました。その500円玉、今でも大事にしています」。ほらね。

妻と暮らせば

「妻という字が毒に見えたら危ない」などと学生に言っていたら、「いてもいなくてもよい人と書いて〝夫〟になる」という。確かに「プラス（いても）マイナス（いなくてもよい）人」と書いて「夫」の字になる。自分を振り返って、なるほどそうかと納得できた。しかし結婚もしてもいない学生にしては夢がなさすぎる。

学生からいつも出る質問がある。「結婚していいことは何ですか？」。たびたびあるので答えを決めていた。月並みだが「2人で生きると幸せは2倍になり、苦労は半分になる」。これでだいたい納得する。ところが先日、「うちの母親は反対です。幸せは半分になり、悩みは倍になっています」と切り返された。父親の酒癖のせいだ。確かにマイナス（いなくてもよい）を二つ書いて人と書いても夫になる。「ダブルでいてもらっては困る夫」も存在するなら、結婚の意義を修正しないといけない。

それでイヌと暮らす私の娘に尋ねると、本を渡された。「幸せな結婚の定義集」である。

一番真実だという定義を見つけた。「結婚に必要なものは、コミュニケーション、そして一人になれる場所があること」。これは実践している。昨年ガラリと妻の部屋を開けたら「勝手に開けるなら、わたし天に帰るわよ」と言われた。それからは妻が一人になれる場所と時間を気にしてきた。

次に大事なのはコミュニケーション。正直な気持ちを主張できることである。自由な視点からの対等な会話が必要である。それには妻からの「意地悪コミュニケーション」にも腹を立てないことを心がけてきた。「意地悪ばあさん」を理想とする私の妻は意地悪名人。先ほどの結婚の定義の同意を求めたら、やっぱりズバリと言った。「つまらん会話は疲れるから、一人になりたいのよ。分かってるの?」と。しかし意地悪や独特の視点をもつことは悪くない。現状を変えるパワーを生む。

女性専用ダイエット教室で受付のバイトをしている学生に聞いた話。申込用紙に「今までの最低体重」を書く欄がある。これが当面の目標体重になる。覚悟を決めてもらう大切な数値とされる。パラパラと受付用紙をめくっていたら、次のような記載があったという。こんなことをサラリと書けるユーモア・意地悪女性はきっと、妻の友人に違いない。

「3300グラム」

向田さんありがとう

「孤独のすすめ」や「おひとりさま」など「〝一人〟を楽しめるように」といわれるようになった。自立した一人は孤立とは違い、連帯もできるからカッコいい。「個を大切にして生きる」は物にもあてはまるようだ。

先日、右袖口を見るとカフスボタンがついてない。左袖口にはある。どこかで片方落としたのだ。お気に入りだったのでガッカリした。ところがその日、ある新聞の記事を読んで希望をつないだ。作家の向田邦子さんは片方の手袋をなくした。もう片方を捨てるには忍びないと思っていたある日、偶然に同じ手袋の片方を拾う。届け出るが持ち主は現れずに向田さんが譲り受けた。しかし喜びもつかの間、それは残しておいたのと同じ左手用だった、と書いてあった。

私の場合は大丈夫。カフスボタンに右左はないからだ。でも見つからなかった。友人にこのことを話すと「バッジにすればいい」と教えてくれた。なるほどと思い、残った片方をジャケットの襟に付けてみるとなかなかいい。他の友人にこのいきさつを話すと、「ペアでそろってなくてもいいよ。私は同じ型の色違いの靴を2足買って、ときおり右と左の色を変えて履いている。ほらね」と足元を見せてくれた。見事に色違いだった。色合いもよく調和しておりステキだった。確かに近頃ではイヤリングも右と左、違う形を付けている人を見かける。カフスボタンもペアでなくてもいいのだ。「個を大切にしながら調和する生き方」が大事なのだと気が付いた。

うちの子が小さい時に右と左、別々の靴を履いていて、私は笑ったけれど悪いことをした。着物にブーツの若い人を見るが、坂本龍馬もそうだったのだ。これからは超高齢化・多様化の社会だから、おおらかな衣の文化を育みたい。そういえば洗濯は妻がやってくれるのだけど、私の靴下はどれもチグハグでペアはまれだ。もう片方はどこに消えたのだろうかといつも不思議だった。でもそれでいいのだ。

腹の決まった次の日、不思議なことが起きた。車のシートの隅っこにキラリと光る物がある。拾ってみると先日なくした片方のカフスボタンだった。向田さんありがとう！　正直うれしかった。一つもいいけれどやっぱりペアも良い。この世の中「腹を決めれば」どちらもうれしいものなのだ。

怒りは仏さまも嫌う。感情道具論

「気力は目に、生活は顔に、教養は声に、心に秘めた感情は口の周りに出る」と言われる（土門拳）。確かに平気そうにしても、あまりの怒りに唇がワナワナと震えることがあるようだ。

感情の中でもやっかいなのは、この「怒りの感情」である。人間関係を破壊し、対話を阻害する。

ある心理学の一派、アドラー心理学では「感情使用論」を説く。人間はある目的を達成するために、感情を「道具のように使用する」というのだ。「感情道具論」である。私たちは決して不用意に、あるいは発散する形で感情的になっているのではない。かなり計算して感情を使っていることになる。

怒りの感情の第1の使用目的は「支配する」ためである。つまりピストルや刀剣の代わりに「怒りの感情」を使い、相手の前でちらつかせて思い通りにしようとしているのが怒っている人なのである。

感情は道具であるが実物ではないので、いわばおもちゃのピストルや刀。子どもがおもちゃの刀を振り回すのは愛きょうがあってかわいらしいけれど、大人はそんな子どもっぽいことをしてはいけない。だから怒ったらアウト。対話に挫折したのだ。速やかに黙り、6秒我慢することである。私は妻にカーッときたら「コ・コ・ロ・ま・る・く」とゆっくりつぶやくようにしている。

また相手が怒ってきてもビクともしてはいけない。支配されてはいけないからだ。そんな時は相手の「状態確認」が有効とされる。例えば「鼻毛が出ていますよ」「ネクタイ曲がっていますよ」とシラッーと相手の状態を確認して言うと、お互いに余裕が生まれる。

怒りは「支配する」以外に三つの目的をもつ。「勝つ・仕返し・権利を守る」である。自分が順番を守って並んでいるのに横から入る人を怒るのは、自分の「権利を守る」ためである。これも下手に感情を使わずに「並んでください」と平静に言う方がいい。怒りの感情を使い誤ると大変なことになる。

ある学生の葬式での体験である。親戚の子どもが葬儀中に騒いでいた。あんまりうるさかったので、親戚のおっちゃんがつい「うるせーぞ、そこの坊主!」と大声で怒鳴りつけた瞬間、お坊さんのお経がピタっとやんだ。10秒くらいしてから子どものことだと気付いたお坊さんは読経を再開したが、その場にいた人は笑うまいと必死に唇をかんでいた。

新年度の目標

毎年新年度の目標を決める。そんな時バイキング料理のお店に入った。受付でいきなり「大人ですか?」と聞かれて、つい「え? 子どもに見えますか?」とムッとした言い方をした。すると笑顔で「大人○○円、65歳以上○○円」と書かれた料金表を指で示された。「大人ですか?」は「シニアもありますよ」という意味だったのだ。「子どもに見えますか?」などとケンカごしに返して悪かった。お店の人に謝ると、「以前『シニアですか?』と尋ねてお客さんにすごく怒られ、結局『大人ですか?』と聞くことにした」とのこと。

確かに尋ね方は難しい。でもこのとき恥ずかしかったのは「大人ですか?」と聞かれ、考えもなく「子どもに見えますか?」と反応したことである。

この話を家に帰って妻にすると、「バカじゃないの。『大人ですか?』は〝シニア料金がありますよ〟という意味だとどうして分からないのよ。『ハイ見えます』って店員さんに言われたら漫才になるところよ」と言われた。バカ呼ばわりはひどいが、もっともである。

それで新年度4月。やり取り上手になる決心をした。一つのことばは一つのメッセージをもっているとは限らない。「桜咲く」は「合格した」の意味も持つ。その場の状況を考えないとトンチンカンなやり取りになる。例えば、「コンタクト」には「コンタクトレンズ」と「連絡を取る」という二つの意味がある。だからこの二つが混乱すると、母と娘のこんな会話になる。

母「ちょっと手伝って」、娘「ダメ。コンタクト取っているから」、母「誰と?」…。仕方ないので「宇宙人」とこたえておいた。

このことばのやり取りが洗練されると漫才の「ボケとツッコミ」になって面白い。まずはボケの練習から始めようと決意した。例えば「日清戦争、知ってる?」と聞かれたら「ラーメン戦争ですか」とボケる。「〝スタバ〟でコーヒー飲もうか?」と誘われたら、「あれは自動車部品売っている所やろ」とボケる。そして「ごめん。あれは〝オートバックス〟やった」と自分でツッコむ。

冒頭の「大人ですか?」と聞かれても、慌てず騒がずニッコリ笑い、「いいえ。子どもです」とボケた後に「心はずっと子どもですよ」と言えばよかった。
今まで遭遇した「遅刻した学生」の最高のボケの一言。「日本時間だったんですか」

幸せの電車と信じて

あるクイズ番組。ここで降りれば250万円もらえる。上を望めば1000万円だけれど0円の危険性も。悩んだ末、そのチームは降りて250万円を手にした。面白かったのはこの後「挑戦していたらどうなっていたか」の司会者の声。明かされた結果は、1000万円獲得だった。ガッカリしたメンバーの顔。ドラマチックな結末に盛り上がる会場。

でも私は残念ではないと思った。先日観た映画「デジャヴ」(2006年)のせいだ。タイムマシンで4日前に戻る物語である。人生とは行き先の決まった1本の道や単線の電車ではない。「生きる」とはいくつもの行き先の違う電車が並走する、その一つの車上に立つことだ。瞬間、瞬間をカンと決断で乗り移っていく私たち。乗り移った途端、行き先は瞬時に変化するのだ。

あのクイズの決断は正しかった。もしあのまま1000万円に進めば250万円もないし、結末も0円の電車だった。メンバーの「虫の知らせ」で電車を乗り換えたために違う人生がスタートし、1000万円の結論が浮上しただけである。なぜ乗り換えができたか、それはチーム一人一人の身体感覚、カンなのだろう。

戦争という異常時に多く伝えられる不思議な現象。「虫の知らせ」で移動したら、さっきまでいた所に爆弾が落ちて命拾いした話。何となく感じる「虫の知らせ」という体感。頭で考えるのとは違う心の働かせ方もあるようだ。

そういえば父も「頭で考えるな」とよく言っていた。体の歴史は古い。哺乳類が出てきたのは約2億年前。今の脳をもった人類の歴史は5万年前。大胆に言い換えれば私たちの体の価値は2億円、頭は5万円。5万円の頭で考えるのも大事だが、2億円の装置の感じ方に自信をもってもいいようだ。

解剖学者、養老孟司さんの紹介している話。自殺をする人の多い青木ヶ原の樹海から出てきた人がいた。様子が変なので尋ねると。「高い枝で首をくくろうとしたら、枝が折れて落っこちた」「それでどうしたのですか」「いやー！　ビックリして。死ぬかと思ったよ」。頭は死のうと思っている。身体はそうじゃないからビックリするのである。

20余年前、父の介護で帰福した。職を求めて履歴書をあちこちに郵送した。「ダメです」の返信の山。「ムシ（無視）の知らせ」を信じて考える前に行動。今の学校に決まる。後から採用を決定した方に聞いた。「君の履歴書を偶然ゴミ箱で拾ったんだよ。よかったね」

と。おお！　人生はいつでもドラマチック。

朝日記と夢

ささいなことで妻と言い合う。あとで落ち込む。妻に勝とうとする自分の幼さにガッカリする。おやじの口癖は「人に勝とうと思うな。自分に勝て！」だった。でもこれは難しい。自分に勝ったら、負けた方の自分はかわいそう。「自分に勝つ」とはどういうことなんだろう。

先月、「朝日記」が1年間続いて去年の今日とつながった。うれしかった。3年・5年連用日記に何度も挑戦して、1年ももたずにダメだった。それが「同じ場所で、同じ時間に3分間で朝書く」という「朝日記」で1年間続いたのだ。Ａ5サイズ20穴のバインダーの色違い12冊1年分を準備して始めた。

1冊のバインダーに1カ月分の用紙をとじて、かばんに入れておく。朝の通勤電車の中で3分間で書くのだ。〝がばいばあちゃん〟のいうとおり、夜書くとゾロゾロと反省や恨みつらみが出る。朝日に照らされながら書くと、明るく書けるから不思議。とにかく「今日も元気に走りぬけ！」などの軽いノリで、ポジティブに書く。

この朝日記のやり方を教えてくれた本は「『朝』日記の奇跡」（佐藤伝、日本能率協会マネジメントセンター、2005年)。
その本には、朝日記を書けば奇跡が起きると書いてあった。振り返ると多くの奇跡は起きていた。まず、今までできなかったのに1年間日記を続けられた。そしてこのコラム「技ありの人間関係」の文庫本は昨年の5月に出版してすぐに増刷。ありがたいことにまだ売れている。天災や事故多発時代にこうやって、生き続けていることが奇跡だと思えてきた。妻も美人薄命といいながらまだ生きている。

2年目に入ると朝日記は不思議な力を発揮し出す。今朝の気持ちを去年の朝の日記の下に書くので、毎朝1年前の自分と出会うことになるのだ。今の気持ちを書こうとすると、その上に書いてある昨年の私が話し出す。例えば、今朝書こうとしたら昨年の私は「夢をなくすと人生を失う」と言っていた。夢は大切なのに見失っていた。近頃元気の出ない原因はこれだったのだ。

おやじの言った「自分に勝て」とは、「自分をやっつけろ」ではないのだ。「過去の自分と対話しろ」ということだったのだ。私は決意した。妻に勝つより自己成長だ。来年の私に向けてのエールを、毎朝最後に書き残すことにした。「妻は女神。オガミなさい」。これで来年、妻に勝てる。「えっ！ 自分に勝てとちゃうんかい？って」。でもやっぱり妻には勝ちたい。だって「夢をなくすと人生を失う」から。

来年は〝ごサイぎょうの女〟で

高齢化社会。家庭における介護関係は深刻である。特に認知症のハンディを抱えた場合、大変である。先日テレビで放映された男性は、認知症の妻の介護に自分のままならぬ感情を何とか抑えようと貼り紙をしていた。そこには「カッとするな。怒鳴るな。たたくな。死ぬな。殺すな。耐えよ。男じゃないか」。

この介護関係から生じる苦悩を改善する魔法のような技術が、近頃テレビや新聞で取り上げられる「ユマニチュード」。認知症の人をお世話するフランス生まれの技術である。150以上の言葉や身振り、目線などの幸せな関係性〝絆〟を築く具体的な手法で成り立っている。入門書を読んだ。書かれている内容は認知症の人だけでなく、幼児をはじめ広く一般の対人関係にも使える。そこで先日、2日間のユマニチュード研修に参加してきた。

まず自分で体験してみて感心したのは、「私はあなたのことを大切に思っています」というメッセージにあふれていることである。ユマニチュードでは、「ケアの準備」として、「〝あなたに会いに来た。一緒に楽しい時間を過ごしたい〟をきちんと伝え、ケアの合意をとるまでは決して具体的なケアの話をしない」となっている。

これはすぐに「入浴してね」と言わないということである。「今日も会えてうれしい」

と目を見て身体に触れながら笑顔とことばで伝えることで、攻撃的な行動が7割減少するといわれた。「見る・話す・触る・立つ」の四つのことが、「人間性を認める」ことだと分かった。確かに私たちは存在を認めないものは、「見ない・話さない・触らない」。「人間性を認め合わない世界」にあるのは恐怖と不信。認知症の人がときに人が変わったようになるのは、「認められてないと感じる」からである。それを変えるのはこちら側のコミュニケーションの取り方である。

さらに感心したのは、寝たきりに絶対させない「立つ」を大事にする点である。1日合計20分「立つ」を実行すれば寝たきりにならないと習った。

私は学生に「悪いことは〝見ザル・言わザル・聞かザル〟の三猿。良いことは〝見なサイ・言いなサイ・聞きなサイ〟の3サイ」と言ってきた。これにユマニチュードの「触れなサイ・立たせなサイ」が加わり、合計で「5サイ」になる。そういえば、以前そんな名前の映画があったっけ。

言葉の力は生きる力

かっこ良さや他人の評価ばかり気にする私は34歳の時に、医学部に憧れて受験を思い立った。先輩に相談した。先輩は妻子4人の年齢を聞いた後、「君は戦闘機乗りじゃないよ。

家族を乗せた旅客機の操縦士だ」と言った。そして厳しい顔で「急上昇、急降下したら、乗っているお客は血ヘドを吐くよ」。人に役立つより尊敬されたいだけの心を見透かしての言葉だった。

「乗っているお客は血ヘドを吐くよ」。この言葉でわれに返った。虚栄心から自分のことしか見えていなかったのだ。言葉には迷いを断ち切り、人を是正する力がある。

その日の日記には「自分のことで頭がいっぱいだから、逆に自分のことがままならないのだ。可能性が開けないのだ」と書いてある。だいぶこたえたようだ。

社会人学生に「なぜ大学で学ぼうと思いましたか？」と尋ねた。「会議などで自分の考えをきちんと言えずに悔しいと思ったからです」と答えた。言葉には自分の考えを伝え、自分を守る働きもある。

映画「明日への遺言」（監督・小泉堯史、２００８年）に感動した。堂々と自分の正義を語り、部下を守りきった岡田中将の実話だ。彼の言動は深い仏教哲学に加えて、若い頃に英国に留学し英語を話せたことと無関係ではないと思った。身に付けた使命感と言葉の力によって人の命まで救うことができる。

「声、仏事（ぶつじ）をなす」とは父の口癖だった。よく地域の人の相談にのっていた父は、いつも傍らに仏書を置いて話をしていた。先日その分厚い本を開いた。背表紙に父の字で「もし使命に目覚めないならば、人間ほど弱くもろく汚いものはないだろう」とあった。父も自分と戦っていたのだと少しホッとした。

走るスターフライヤー

東京での仕事を終えて羽田に向かった。夜8時半の北九州空港行きの便である。私の見込み違いで空港に着いたのは出発時刻10分前。走りに走り、息を切らせて手続きゲートまで行った。ところがそこから搭乗口までさらにある。

するとそこにいた女性職員、素早くトランシーバーを手に取ると私と一緒に走り出した。その素早いこと驚くばかり。動く歩道の上をまるで跳ぶがごとく、ヒールの音をカンカンと響かせながら韋駄天（いだてん）のように先導していく。その後を必死で追う頭の薄くなったおやじ。心臓さんごめんなさい。100メートルは走ったような気がする。

息も絶え絶えに飛行機に乗り込むとすぐに出発。シートベルトをしながら、一緒に伴走してくれた女性職員に不思議な感情を覚えた。これは何だろう。

私たちは、小さい子どもが田んぼのあぜ道から電車に向かって手を振っている情景を何度も見たことがある。知り合いでもなく、何かを伝えているわけでもない。でも何かつながり合っている心地よさを味わう。このような言葉以前に私たちをつなぎ、脈々と息づいている性質のコミュニケーションは情動的（原初的）コミュニケーションと呼ばれる。この情動は「共振」することでさらに通じ合うとされる。同じような動作をすることで強まるのだ。手を振り合う。合奏する。唱和する。ラリーする。

空港で伴走してくれた彼女は共に走ることで、あたかも音叉（おんさ）が共振するように、私の心の琴線を振動させたのだ。スターフライヤーの大ファンになった。

豪傑になった妻

このコラムの締め切りが刻々と近づくのに、書く内容が出てこない。仕方ないからテレビをボーッと見ていたら、芥川賞作家・宮本輝さんが言っていた。「水だと思って飲んだら血でした。そんな小説を書きたい」

そうやなー。「コーヒーだと思って飲んだらポン酢でした。そんなコラムを書きたい」。これを書き出しにしようかなー。いや、意味不明でリビング北九州の編集担当からカットされるやろな。

居間で悩んでいたら、洗濯物をたたんでいた妻が「自分の感動したことを書かんとあかんよ。頭でこねくり回したもんは面白くないよ。散歩でも行ってきたら」。外に出て、遠くの山のふもとを走るＪＲの列車を見ていて思いついた。家に戻り書くことにした。

――また今日も駅のホームで会った。近所のＭさんとは通勤仲間だ。いつも文庫本を持ち歩いていることに感心する。その日は山本周五郎の「橋の下」。これから果たし合いに行こうとする若侍、己の轍（てつ）を踏ませまいと過去を語る老人。二人の見事な人生対話。私も読みたくなって学校の図書館へ行ったがない。がっかりして家に帰って、妻に話すと「あるよ」と自分の書庫から出してきた。

「日日平安」（新潮文庫、１９６５年）。古びたキオスクのカバーがかけてある。奥付の下に鉛筆書きで昭和49年9月5日と書いてあった。日付を見て妻は思い出したらしい。新卒の小学校の代用教員として通勤しているとき、ＪＲ下関駅で買い求めたという。私と結婚する1年前の話である。

私も思い出した。当時、私は司馬遼太郎の描く坂本竜馬に憧れて幕末小説を読みあさっていた。自然と山本周五郎の「武家もの」の世界にも興味をもち、彼の作品を読み始めた。人の意見に影響を受けやすい私は、読み進めるうちにだんだんと自分自身、武士であるような気になってきた。そこで将来の妻になる彼女に、武士の妻としての振る舞い、覚悟を結婚前に学んでほしいと思い、山本周五郎の本をプレゼントしたのだ。

多分その本をきっかけに彼女も山本周五郎の本を読んでくれたのだろう。今、その当時の古い本を手にすると、結婚前の希望と夢を思い出し、その後の結婚生活のあまりの違いように涙が出そうになった――

ここまで書いてお茶にした。目の前で洗濯物をたたんでいる妻に声をかけた。「結婚前に僕のプレゼントした山本周五郎の本、覚えているね？」。妻はこたえた。「確か『日本士道記』だったよね」。贈った本は「日本婦道記」である。間違いを指摘すると、「アハハハハハ…」と笑い飛ばされた。

えん（円）を大事にする教師

「親友がいません」と相談にくる学生には、付き合い方の根本を見直すようにと助言している。人間関係はわずらわしいという態度を改め、「縁」の考え方をプラスするように言う。三角形の面積で説明している。

三角形の面積は「底辺×高さ÷2」。なぜ2で割るか。「底辺×高さ」で倍の四角形の面積が出るから半分にしないといけない。目の前の三角形の面積を解決するのに目に見えないカゲの三角形をいったん想定する。このカゲの三角形が「縁」である。

現世だけでなく、前世や他の世まで考えるとき、目の前の人との結びつきを深く考えるようになる。これを「他（多）生の縁」という。どんな小さなことや、ちょっとした人との交渉も偶然ではなく、すべて深い宿縁（他生の縁）によって起こるからおろそかにしてはいけない。

小学校の新任教師時代。クラスで1冊のノートを家から家へと回覧していた。教師への要望や意見、子どもの様子など何でも書けるノートである。

あるとき私の書いた語句が訂正してあった。ノートの意義を説明したことわざ「袖振り合うも他生の縁」を「〝多少〟の縁」と間違っていたのだ。浅い認識を恥じた。それ以降私は縁を重んじる教師になった。

先日も忙しいときに限って来る学生に、縁を感じて丁寧に応じた。「私は相談のプロだから、質問二つにつき1000円にしたい」「えっ！　学生の質問にお金をとるなんて、おかしくないですか？」「君の言う通りおかしいと思う。それでは二つめの質問を聞こうか」

風

未来は不思議と懐かしい

卒業した高校に招かれて在校生に話すことになった。前もって、ゼミ生に高校時代に聞いた講演の印象を尋ねた。「どこの誰だか分からない人が来て、聞いても聞かなくてもいい話でした」。がっかりとガンバローの複雑な気持ちで出かけた。

講堂に入ると、高校生１２００人。演題は「今を生きる」。「講師の先生は…」校長先生の声だけが静まり返った講堂に響く。「このオッサンの自慢話に付き合うんかいな」というような顔、顔、顔。今までの経験では、凍りついた空気には「つかみの笑い」である。学生に聞いたユーモア話をした。

「幼い頃、近所に住んでいた一人暮らしのおじさんに、お菓子をもらったり、一緒に話したり、良くしてもらっていたのだが、ある日おじさんの庭に干してある下着を見たとき、おじさんはおばさんだと知った」。２００人が笑った。

「温泉で、お風呂あがりに10分１００円のマッサージ器があったのでやってみた。力が少し弱かったのでリモコンで〝強〟ボタンを押すが強くならない。押し続けたら逆に弱くなっていく。電源が切れたのかと思い横を見ると、隣のマッサージ器に座っていたおばさんが激しく揺れていた。リモコンが入れ替わっていて、強くなってきたので弱くしたいおばさんは〝弱〟を押し続けていたのですが、逆に強くなるので混乱していたそうです」。800人が笑った。次におばあちゃんネタ。

「友達と一緒にデジカメを買いに行った。うれしくて家族に『デジカメ買った』と言いまくったらその夜、おばあちゃんが部屋に来て『これデジカメにあげな』とキャベツを持ってきた」。1200人が笑った。

本題に入った。「過去は常に新しく、未来は不思議と懐かしい」。過去は現在の解釈で変わり、未来は今一瞬の思いの中にある。今この瞬間に、君が「○○になろう」と思い、「母校で話をするのだ」と決めたとする。そして将来、努力も実り、運にも恵まれて、君がこの場に立ったとき、君は「懐かしい」と感じるだろう。未来は今一瞬の志の中にある。「今を生きよ」と渾身の想いで話した。

「講師の先生が中央の通路を通って退場されます」。司会の声と拍手の中、会場真ん中まで来たとき、さっと一つの手が差し出された、握手をした。顔をちらっと見た。それはまぎれもなく46年前の僕だった。

「子ども力」に期待

映画「少年H」（監督・降旗康男、2013年）を観た。昭和20年、世間を覆う軍国主義に染まる教師。その様子が真っすぐな子どもの目から見事に描かれていた。教師として同じようなことがあった。

27歳、当時私は小学校3年生担任の新任教師だった。力だけで子どもを抑えていた。給食の時間。当番の子どもは家からマスクを持参しなければならない。廊下に並んだ当番の子どもたち。私が服装を一人ずつチェックする。ずっと見ていくと、一人だけおかしなマスクをしている。ちり紙をマスク状にして輪ゴムをつけて耳からかけている。いつも忘れ物の多いT君だ。

「こら！　何だそれは…」と言いかけたとき、通りかかった6年生が、「先生、私の予備のマスク、使ってください」とT君を私の目からかばうように間に入ってきた。今考えると、T君はマスク代も言い出しにくい家だった。私は未熟だった。T君のユーモアある手作りマスクの智恵を喜び笑うゆとりもなかった。6年生にも劣る教師だった。

先日ある新聞の読者欄に載った投書。「昭和17年、ある朝先生が厳しい表情でこう言った。『日本は大変な事態に突入しています。若者は一人でも多く、一刻も早く戦地に行って戦うのです。〝よし、僕は命をかけて戦います〟と勇気ある人はこの場で手を挙げてください』。沈黙の中、1人が手を挙げました。勇気ある彼に全員力強い拍手を送りました。…満蒙開拓青少年義勇軍。しかし14歳の少年はわずか半年足らずで帰らぬ人に。おとなしい性格だった彼がなぜ手を…」（85歳女性）

未来ある子どもに対して教師の責任と影響力は大きい。子どもを追い詰めぬことだ。しかし一方で、子どもはなかなかしたたかである。上手に大人の身勝手な押しつけに抵抗し、楽しむ力をもつ。

こんな話を学生に聞いた。「中学でサッカー部に所属していた。ある試合のとき、チームメートがパスをミスするたびに『ごめん！』と言っていた。そこで監督の先生が『ごめん、ごめんと言いながら、プレーすんな！』と彼を怒った。すると彼は『すまぬ！』と言うようになり、チームメートはパスをもらうと『かたじけない！』と返すようになった」

こんなしたたかな子ども集団のある日本は、まだまだ大丈夫である。少年Hは健在だ。

ほらね！ストロークをゲット

勝ち負けの極意は「打って反省、打たれて感謝」と剣道では教える。サッカーの敗因を語る本田圭佑選手のインタビューが印象的。「自分たちの良さを出すことよりも、相手の良さを消そうとする意識が強かった」

同じようなことをゴルフのタイガー・ウッズも言っている。「ライバルがパッティングする瞬間に〝入らなければいい〟と祈ると、次に自分の番になったとき、自分のパットが入らなくなってしまう。〝相手のパットが入ればいい〟と祈ると、自分はもっとすごいパッティングをするのだと集中力が高まり…自分が勝つチャンスが増える」（林成之「名リーダーは『脳』で勝つ」第三文明社、２０１２年）。

ことばの力は大きい。ライバルに対する「負けろ」「入るな」というネガティブなことばで自分の脳が満杯となり、心に悪い影響を与える。このことを昔の人は「人を呪わば、穴二つ」といったのだろう。ライバルの幸せを祈れば自分も幸せになる。

心理学（交流分析）では「ストローク理論」で説明される。学生に「いい授業でした」と声をかけられると元気になる。このような元気の受け渡しや存在の認知を「ストローク」と呼ぶ。こころの栄養、ミルクである。ウインクしたり、手を振ったり。会釈などの「仕草」（非言語）の他に「お若いですね」「少しやせました?」などの「言語的ストローク」がある。マイナスのストロークもある。無視されたり、「あっちへ行け」などのネガティブなことばや態度である。

ストロークはお金と同じで貯蓄できる。周囲からストロークをたくさん受け、75％以上ストックのある人は生き生きしている。25％以下になるとうつ状態になるとされる。貯めるコツは、まずは周囲にポジティブなストロークを与えることである。人だけでなく物にも与えられる。

私は学生の食事代を払うときのお札には「お友達を連れて帰ってきてね」と言って送り出す。植木にも声をかける。周りにストロークを与えるとドンドン増えて戻ってくる。この間、自転車を盗まれたと文句を言っている女子学生がいたので「〝盗んだ人を幸せにしたら戻ってね〟と祈れば自転車は戻ってくるよ」と言ったら、「やってみます！」とスッキリした笑顔が返ってきた。

人生笑劇場・〇〇とともに去りぬ

【小話1】これを読んでいる皆さん。人生このようなことはありませんでしたか。便意をもよおしてトイレに行った女子学生。ホッとしたのが悪かった。チャリンという音がした。サイズの大きい、元彼にもらった3万8000円のブランド指輪がスルリと抜け落ち便器の中に落ちた。驚き慌てて大きな声をあげたのが外にいた友人に聞こえた。

「とりあえず、立たないと指輪取れないから立って！」と言われて、もっともだと思った。元彼はどうでもよくて3万8000円の値段が気になりながら立ち上がった。その途端、センサー反応で自動的に水が流れて、ものすごい音をあげて指輪は流れていってしまった。指輪は「うんちとともに去りぬ」（チャンチャン）。

【小話2】近頃のカーナビは行き届いている。朝、スタートさせると、「おはようございます。今日も安全運転でいってらっしゃい」と言ったのでうれしくなった。運転に疲れたな～と思っていると「そろそろ休憩しませんか」ときた。「左からの合流車両に注意してください」などはよく聞くが、「気遣いのことば」は新鮮だった。不思議なことに女性の声ばかりである。

これを聞いた知り合いの女性。そんなナビなら好きな男性歌手や俳優さんの声で言ってもらいたい。そんなカーナビがあるなら買うのにと言った。でもドライブの途中で「そろそろ休憩しませんか」などと甘い声で言われたら、運転を誤り事故を起こすかもしれない。「救急車とともに去りぬ」だろうと思った（チャンチャン）。

【小話3】おなかが痛いというので子どもを病院に連れて行った。お医者さんの前に座った子どもに定番の質問。「食欲はありますか」。聞かれた子どもはこたえた。「おかずによります」。想定外のこたえにお医者さんは慌てたのかムッとしたのか、「それは好き嫌いの話だから、体の欲求のこたえではない」などと難しい言葉を残して奥の部屋に「怒りとともに去っていった」（チャンチャン）。

【小話4】女子学生に聞いた話。中学の時、友達と校門を出た所で犬がお産をしていた。取り囲んだ私たちは「あ！　頭が見える」などと興奮して見ていた。するといっときしてその犬は立ち上がり、何事もなかったかのようにスタスタと立ち去った。オス犬だった。友達がつぶやいた「キンとともに去りぬ」（チャンチャン）。

ああ思い込み

年を重ねて「思い込み」が激しくなったようだ。置いたはずの書類がない。物が消えると人のせいにしたくなる。妻が勝手に片付けたと思い、文句を言うと、置いたと思い込んでいただけで最初からそこにはなかったのだ。これがひどくなると「物取られ妄想」にまでなる。記憶や想起力も落ちてくる。サラリーマン川柳に「増えていく　暗証暗号　減る記憶」とあった。

確かにそうだ。日常生活の中で「思い込み」に気をつけようとしていた矢先、失敗した。ホームにかけ下りて、停車中の電車に「いつもの電車だ」とばかりに飛び乗った。あれ？お客さんいないなーと思っていたら、「この電車は回送電車です。お乗りになれません」のアナウンス。「やばい」と降りようとしたら、扉が閉まり動き出した。

そうこうするうちに電車は田んぼの真ん中で停車した。慌てて先頭車両に行き、運転室のガラス戸をたたいた。「すいません。降りられますか」。危険だからダメだと言われた。かなりの時間が経った後、やっと動き出して元の駅まで戻れた。

翌日偶然その時の車掌さんに会った。「昨日はご迷惑をおかけしました。ところで回送列車にお客さんが乗るケースはありますか」と聞いたら、そっけなく「ありませんよ！」。

やっぱりね〜。いつもの電車だと「思い込んだ」のが間違いのもとだ。

世間にはいろんな思い込みがある。「座薬」を座って飲む薬と間違う人もいるので、きちんと説明すると知り合いのお医者さんは言っていた。人名の思い込みもあるようだ。学生が話してくれたお母さんの話。母が東京の友人を小倉の松本清張記念館に連れて行ったとき、その友人がたまたま「福沢諭吉」の話をした。すると母は「そうそう！　声がしぶいよね」と補足するように話しだした。でも母が話しているのはどう考えても「矢沢永吉」の話だったそうだ。

思い込みは若い学生にもある。授業時間中に質問コーナーの時間を取っている。心理学関係でなくても何でも聞いていいことになっている。切実な思い込みによる悩みの質問だった。それは出席カードの裏に丁寧なしっかりとした字で書いてあった。

「友達から〝半身浴〟を勧められていますが、上手にできません。鼻や耳にお湯が入ってしまい困っています。右半身ですか、左半身ですか」。うーん…だよね！

底にある危機

インド映画を観た。「きっと、うまくいく」(２０１３年)。あっという間の3時間。ハリウッド映画とは違う表現の底にある豊かさにいつも大満足である。競争原理にドップリつかってイライラしている学生にぜひ観に行くように勧めた。

表現の奥深さといえば、学生に授業の感想を出欠カードの裏に書いてもらっている。先日も授業を終えた夜にいそいそと居間でカードをチェックしていた。一枚一枚読むのが今の教師生活の喜びである。「いいことばをもらいました」「ビデオを見て泣きそうになりました」。褒められるのはいくつになってもうれしい。授業の構成が「うまくいったなー」と生きがいを感じる一瞬である。

ところが、肯定的なコメントが２００枚ほどある中に1枚だけ「この映像は気持ち悪い…」と否定的なことが書いてあった。「ええ！　あのビデオでこの感想」。水をかけられたような気持ち。

ショックを感じたときは妻に話す。おおむねスッキリ解消するからだ。「見てよ、この感想。どんな感性なんだろう」と。すると妻は「それも正しいでしょ。自分が正しいが怒りのもと。他の学生はおべっかを使っているかもしれない」。

ムッときた私は「それはない。この意見は間違っている」と言い返したが、あとから考えると確かにそうだ。しかし、それを読む私の心理も思いやってほしい。表現の底に愛がほしいと未練がましく思った。

次の学生の話にユーモアと表現力の巧みさを感じるのは、根底に人間愛があるからだと妻に見せたら、「これは愛ではない。他人の不幸は蜜の味。それだけよ」と切り捨てられた。

皆さんはどう思われますか。

「とあるデパートのトイレに行った時の話。私の横に、小太りの中年男性が暴力団の下っ端のおじさんが脇に挟んで持ち歩くようなバッグを持ってきました。そしてそのバッグを、芳香剤が置いてあるような棚が目の前にあったのでそこに置いて、用を足し始めました。するとバッグがバランスを崩して前方向に倒れ、おじさんの腹に当たってバウンドして、便器の中に落ちてしまったのです。もちろんおじさんは用を足している真っ最中なので『あ〜！　あ〜！』と叫んでいましたが、なかなか止まらなかったようでバッグは直撃を受けていました。よく見るとそのバッグはルイ・ヴィトンでした」

ウーン、確かに妻のいうように人間愛でなく冷たい観察眼かなー。

もしも私があなたなら

妻の口癖を考えた。朝が来ると「今日は何時に出るの？」と聞き、帰ると「〝もう〟帰ってきたの」と言い、夜は「風呂入って、早く寝なさい」と言う。昨日は変化形だった。娘の誕生日なので、妻と娘二人でケーキを食べようとしているところに私が帰ってきたのだ。一言「〝なんで〟帰ってきたの？」。特に定年後は夫が目に付くとわずらわしいようだ。時には妻の体調まで悪くなることがある。ここら辺の夫婦の掛け合いは、私の講演の鉄板ネタになっている。

夫の定年後に体調を崩したある妻。クリニックを受診した。「夫が家にいるだけで具合が悪くなるのです」。医者は「ああ！　それは〝夫在宅ストレス症候群〟だね。処方は決まっているよ。夫の趣味を一緒にやるというのが、一番効果があるね」「先生！　やっているんです。夫は山歩きが趣味ですから、一緒に歩いているのです」「ああ！　それなら身体にもいいじゃないの」「先生違うんです。崖っぷちのところに来ると、つい後ろから押したくなるんです」「そうか…、じゃあ霧の深い日にしなさい」。

こんな関係を改善するには「対話のスタイル」を変えるのが最も手っ取り早い。コミュニケーションが変わると人間関係が変わる。「共感的口癖」を身に付けたい。例えばこうなる。「男らしくない○○は好かん。ケチだしな」「そうね。もしも私があなたならそう考えるかもしれない。でも言い過ぎかもね」「そうだな。いいところもあるしな」と良い対話の流れになる。この場合、マネしたいのは「もしも私があなたなら…」である。これは効果がある。

卒業したての教え子の相談で一番多いのは「同僚の悪口を言う先輩にどう対応すればいいですか？」である。そういうときは「共感すれど同意せず」の言い方「もしも私があなたなら。しかし…」を勧めている。悪口には同意しないで、その人の身になって相手を理解するという「返しワザ」を口癖にしたい。

冒頭のケーキを前にしての妻の言葉「なんで帰ってきたの?」に対して言ってみた。「もしも私があなたなら…」と言い始めたら、「あなたが私になれるはずがないでしょう。風呂入って早く寝なさい」と一言で切って捨てられた。通じない人もいる。

日本の形〝だえん〟

小学校の教師時代に、運動場で「円」を教えたついでに「楕円」(だえん)に挑戦した。離して立てた2本の棒に輪にしたロープをかける。この2本の棒が中心になる。3人目の子どもがゆるやかな輪に自分の棒をかけてピンと張り、その3本目の棒で地面を削りながら1周走るときれいな楕円ができあがる。つまり楕円は中心(焦点)が二つあるのだ。子どもは中心が一つの円を学んだ後なので、中心が二つあるこの面白い形に感動する。

世の中の多くのことはこの楕円のようになっている。対等である二つの中心点が常に存在する。円のように中心は一つではない。夫婦関係も同じである。夫と妻のどちらもが中心である。私はこの「中心が二つ」を実感するまでずいぶんとかかった。妻に言われたことがあった。「あなたには名前の変わる哀しさは一生分からんよね」。ショックだった。

確かに結婚しても私の姓は変わっていない。妻を中心に姓を考えたことは一度もなかった。楕円では中心の2点からの距離の和が、いつも同じになる。2人の幸せの合計量が常に等しい。幸福を分かち合うのが楕円の軌跡。夫婦円満ではなく「夫婦〝楕円〟満」と言った方が正しいかもしれない。その原理が分かると対話が格段にうまくなる。

例えば妻が私に「食べるときによく噛みなさい」と言う。私中心なら「いつもうるさいな」とこたえる。妻中心なら「はいはい。ごもっとも」で終わる。2人が中心なら「そうやな。よく噛まんと身体に悪い」と、相手も立てて自分も大事にする言い方に変わる。

親子の関係も楕円である。不登校の子どもに悩むお母さんにアドバイスして感謝されたことがある。子どもが何を言っても、まず次の言葉を返しなさいと言ったのだ。「そんな考え方もあるんやね」

例えば「東京に行って歌手になる」と子ども。「そんな考え方もあるんやね」と親。中心の一つとして考えを重んじられた子どもは、自信を回復して現実的になる。今では専門学校に進学している。

楕円の世界は時間と空間を超えても成り立つ。映画「永遠の0（ゼロ）」（監督・山崎貴、2013年）を観た。今年NHK大河ドラマで黒田官兵衛を演じる岡田准一さんが主人公。60年前に特攻で亡くなった青年と現代に生きる青年。二つの中心が描く「戦争と平和」を考えさせられた。団塊の世代は若い人、学生を伴ってぜひ二人で観てもらいたい名作だ。そういえば、「ゼロ」の形は楕円である。

夫の美

先日、門司港駅近くの出光美術館に行った。「書の美」展。心洗われた。水戸黄門の書は「風」。品格がある。その横には家康の書。感動したのは本阿弥光悦の作品だった。文章の最後の文字「雲」があるべきなのにそこにない。「おかしいな」と全体を見ると何と、右上にある雲の絵の上に小さくポッンと「雲」の一文字が置かれてあった。まさに〝魅せる〟書！　見ている私の心まで躍動した。

書といえば、私の研究室には書をたしなむ先輩や友人に書いてもらったものがたくさんある。机の右手には「闊達」。若い頃からの憧れの生き方だ。窓際には「凶弾に倒れるか、教壇で倒れるか、それが大学教師の本懐である」とある。学生に自慢すると、「先生は〝冗談〟に倒れると思います」と言われたので、ムッとして「それは違う。私は〝凶弾・教壇・今日ダンディー〟で倒れるんだ」と言い返した。

書には心を動かす力がある。ある書家は「100回言うより、1回書いて貼る方が潜在意識に届く」という。そういえば学生時代、選挙事務所でもらった模造紙いっぱいに書かれた「突撃」を壁に貼っていた。今の妻と出会った頃だ。いまだになぜ結婚したのか分からなくなるのは、潜在意識の書の力だったのかもしれない。

助けられた思い出もある。私が35歳の時に父が脳梗塞で倒れた。大阪の小学校教師を辞めて介護のために九州に戻るか、父を大阪に呼ぶかで迷っていた。友人もなく、文化の違う大阪に来たくはないだろう。悩んでいたある日、職員室の日めくりのカレンダーのキャッパリとした書に目が留まった。「決断のないところに解決はない」。ハッとした。この書に後押しされて九州に戻れた。

「書の美」には心を動かし福を運ぶ不思議なパワーがある。美と言えば、先日、お金の円のマークは「¥」、その下に「夫」と書くと「美」の字になることに気付いた。うれしくなって妻に「お金がいつもある夫は美しいよね」と言うと、「当たり前じゃないの」と一言。

聞いても聞かなくてもいい話

これからのお話は覚えて人に話すと喜ばれる。うまく話すと座が明るくなること請け合いである。しかし聞いても聞かなくてもどうでもいい話ではある。

①お酒のかん付けの呼び名と温度の話。まず「あつかん50度」。ここが基本の温度と名称。まずこれを覚える。ここから上にプラス5度で「とびきりかん55度」。下にマイナス5度で「じょうかん45度」。これが普通の熱さ。さて、ここから5度ずつ下がっていく。まず

よく使われる言葉。「ぬるかん40度」。次の35度は体温だから「ひとはだかん35度」。最後は太陽でポカポカ「ひなたかん30度」。

ここで話は急展開する。「しかし、私ぐらいのお酒通になると、このような普通のかんのつけ方をしない」とおごそかに言った後に、「太ももの間に挟んで温める。これを〝こかん〟という」。

②ことばに悩む外国人の話。国際交流で大学に来ているオランダ人Mさん。ホームステイ先で、お風呂に入る順番がいつも最後だった。それで他の人は皆お風呂に入る前に「オサキニ」と言って入っていた。Mさんは日本では「お風呂に入る前のあいさつ」として「オサキニ」と言うんだと思い、一番最後に入るのにも「オサキニ」と言って入っていた。

ある日、Mさんがバスに乗ろうとしていたら、おばあさんが荷物を持っていたのでMさんが代わりに持ち、おばあさんを先に乗せてあげた。すると「オサキニ」と言われた。「あれ！お風呂のあいさつじゃないの？」と混乱しながらMさんは不思議に思った。バスの移動中ずっと考えていたMさん。バスを降りるときにハッと気づいた。「あのおばあさんはバス（乗り物）とバス（風呂）をかけたんだ」。日本は笑いに関しては老人の方がスキルが上なのかと一人感心していた。

③正直な大人の話。試合に勝てない監督の弁。（勝利の可能性を聞かれて）「グラウンド上のわれわれには、しばらくのあいだ勝利の可能性はあった。しかし無情にも時間がきて

しまった。試合が始まってしまったのだ」。残念！
④素直な子どもの話。小学生の頃、腕に注射を打たれるとき、保健の先生に「反対の腕をつねっておけば注射の痛みは分からないよ」と言われたので実際にやってみたら、両腕が痛くなっちゃいました。これがホントの〝痛み分け〟。
…どうです。こんなお話。一家だんらんのお供になりますでしょうか。

新春3話をあなたへ

新しい年が明けた。今年も明るく元気に過ごしたい。心のタフな人は苦しいときでも楽観的で現状を楽しめる人である。トラウマ（虎・馬）があるなら、ウッシシ（牛・獅子）で中和してもいい。人生で大事なのは勇気・夢・ユーモア。

毎年、定期試験で「面白い話を書きなさい」のお題を出す。新春のこの欄で、2018年度の優秀賞を発表したい。

まず、トンチ部門（男子）。「私には五つ年下の優秀ないとこがいる。その子が4歳か5歳のとき、中くらいの箱を私に渡しながらこう言った。『この中にはね。きぼうがいっぱい詰まっているんだよ』。キラキラした目でそんなことを言われた私は、幼いながらもすごいことを言う子だと思った。箱は少し重かった。〝え！　本当に希望が？〟と開けてみると、その中にはたくさんの〝木の棒〟が入っていた」

次に、アルアル部門（男子）。「私の中学時代の後輩は歯が悪く、よく歯医者に通っていました。いつものように診察を受けているとき、彼は口の中に身に覚えのない〝しこり〟があることに気付きました。不安になってペロペロなめていると先生に言われました。『それ私の指です』」

続いて、ホロリ部門（男子）。「小学校の頃、先生のことを〝お母さん〟と呼んでしまうことはよくあります。私の友人がお母さんと呼んだ先生は男の先生で、しかも少しハゲていました。これにはクラスも大爆笑で、先生も『せめてお父さんだろう』と笑いながら言うと、友人は『ぼくのお父さんはもっとフサフサです』と言い返し、先生の顔が少し悲しそうだったのを今でも覚えています」

次は、何でこうなるの部門（男子）。「私がパン屋さんでバイトしている時、『小さいパンをおまとめしてもよろしいですか？』の語尾を間違えて『…おまとめしてもよろしいでちゅか？』と言ってしまい、お客さんに『よろしいでちゅ』と返されて、めちゃ恥ずかしくて急いで会計を済ませました」

ラストは、お主デキルナ部門（女子）。「コンビニのバイトで外国人のお客さんに『アイスコーヒー』と言われたと思い、カッコつけて『アイス・カアフィーですね』と言ったら、『ノー、ICカード』と言われ、どや顔で言った自分が恥ずかしかったです。数日後、同じ外国人の人が来たのですが、今度は『ICカード』と言わずに『ニモカ!』とおっしゃいました」。今年一年、面白いことがいっぱいありますように!

ウルトラマン飛べ

大学院に進学するゼミ生に言われた。「1年の時に大学を辞めようと先生に相談した。先生は、『ここで頑張れ。そのうちにここに来た意味が分かる』と確信をもって言われた。今考えるとあの時辞めないでよかったと思う。しかしなぜそんな確信があったのですか」そんなことがあったことさえも忘れていた。「ごめんなさいね、そう言ったとしたらそれは直観だな」ととりあえずこたえた。ほとんどの新入生がひっかかることを経験上知っていたからである。

航空機事故のほとんどは「離陸の3分間」と「着陸の8分間」に集中するとされる。そのため、この11分間は「クリティカル・イレブンミニッツ(魔の11分間)」と呼ばれる。これは物事の始まりと終わりにも通じる。人生もそうである。

今、私は人生の「着陸の危機」に遭遇している。ヨタヨタと不安な気持ちで操縦かんを握っている。きちんと着地できるか不安である。若い人の遭遇するスタートの危険も同じである。離陸の危機はエンジンの出力をほぼ最大にするためである。新しい環境になり、期待や不安で心はいっぱいになる。そのため、まごつき、面食らい、あたふたしてうろたえるのである。

もう一つの困難は、自動操縦ではなく手作業の操縦になるからである。自動操縦に任せて生きてきて、人によっては初めて手動で操縦しなければならない。今、私も経験しているけれど、これは大変なことである。「みんなが〇〇するから」の自動操縦や「親任せ・妻任せ」の代行運転で生きてきた場合、初めて自分の心の力が試される事態となる。

大学に入学したてもそうであるし、社会人1年生もそうである。結婚もそうである。異変を感じた時。急ブレーキをかけて止まるべきか、そのまま離陸を続けるかの決断を急がねばならない。滑走路には限りがある、離陸の事故はこの判断の遅さである。辞めるか、そのまま走り続けるか。先行きの見えない不安もある。

その判断の決め手は突き詰めれば「愛と勇気」である。どんな結果であっても、これを引き受ける愛と勇気。大丈夫、飛べる。未来を信じて、自分の心のエンジンを信じて「飛べ！」。僕も次の星に飛ぶから。4月はウルトラマンの月と命名しよう。シュワッチ！

こころと言葉

朝、玄関に並ぶ靴の一つに「今日はお前を〝履いてやろうか〟」とふざけた。それを耳にした妻。「その言い方はやめなさい。靴に対して失礼でしょう。ごうまんな心を直しなさい」とまた説教された。

確かに言葉には気を付けた方がいい。私のなりわいとする心理学は、心という「見えないもの」を対象としていたために「インチキだ！　霊魂（れいこん）心理学」などと陰口を言われ、相手にされなかったという。そこで先輩たちは考えた。見えない心を見える「行動」に置き換えて研究すればいいと。確かに、悲しい心は見えないけれど、シクシク泣くという「行い」は見える。

人間の行動を実験によって科学的に究明した心理学は「行動科学」として大きく発展した。特に心と言葉は深くつながっている。だから口は「命の入り口、心の出口」といわれる。口は命をつなぐ食べ物の入り口であると同時に、心の代わりをする言葉を発する心の出口だからだ。昔からいわれる「言霊（ことだま）信仰」とは、言葉そのものに霊力があるという考えである。心と生活を健康に保つには、できるだけ肯定的で前向きな言葉を使いたい。

しかし、時代は移り変わった。メールの飛び交う、ネット社会の恩恵のかげにある言葉の軽量化というマイナスも覚悟したい。言葉が軽くなるにつれ、人の心も軽薄になり乱れることになる。ゆがんだ心がつい口に出たとされて、その言葉で窮地に追い込まれる政治家も出てくる。言葉の揚げ足を取るなどのマスコミへの批判もあるけれど、問題にしているのは言葉ではない。その心なのである。このように、つい口から出た本音は面白いことを日常的にも引き起こす。

あるファミリーレストランの店員さん。あまりの忙しさと注文の多さに、ちゃぶ台をひっくり返したいほどいら立っていた。注文を繰り返すときについ言ってしまった。「それでは注文を〝くつがえさせていただきます〟」

コンビニに料理のためのサラダ油を買いに行ったポッチャリ太めの学生さん。サラダ油をレジに持っていったときに「ストローはお付けしますか？」と言われた。心で叫んだという、「太めだけど油は飲まねーよ」。でもそのレジ係は優しい男だ。次に来た幸薄そうな女性が台の上に乗せたタバコ。その手に「ガス代」と書かれているのを見て、「温めますか？」。

産道の思い出

回想法とは、昔の経験を話し合うことで元気になる心理療法の一つである。母に若き日の苦労を尋ねると目に力が戻った。昔を思うと勇気リンリン。昔も昔、自分が胎児だった頃の奮闘も思い出したら元気になるのだろうか。胎児の心理を講談調に講義した。

「胎児がんばりの一席。よろしくお付き合いのほどを。さて、山海の珍味と温泉。酒はないものの心地よい振動。人生に極楽ありせば母の胎内もその一つかも。温度は一定。栄養はへその緒を通じて万全。胎児はあたかも宇宙遊泳のごとく羊水の中で楽しく遊んでおります。

そして〝とつきとうか〟。ビィービィーと警戒警報の鳴り響くやいなや、何ということか突然首根っこをつかまれて、エベレストの頂上に引っ張り上げられるほどの酸欠状態にみまわれる。酸素不足だと脳はアウト。危険を察した胎児は血液中のヘモグロビンを大量に増やします。そのため全身は真っ赤となる。〝赤ん坊〟の由来です。

さー！　そこからが大変。仏典では生まれ出る苦労を生老病死の一つ。生苦（しょうく）と呼ぶほど。いよいよ陣痛が始まり、産道に導かれた赤ん坊。まずその狭さにびっくり。でも後には引けず覚悟を決めて困難な道に挑む。狭い産道をくぐる時の圧迫感は尋常ならず。その痛さ、苦しさは筆舌に尽くしがたし。このダメージは重度の交通事故に匹敵するとある医学者はいった。

1ミリ刻みの前進と苦難は永久に続くかと思うほど。そうこうするうちに、やっとゴールの明かりが見えてまいります。この赤いチャンピオン。生まれるやいなや大声で『死ぬかと思うたわー』と叫ぶのですが、私どもには『オギャー』としか聞こえない。〝赤んぼの口よりそれと言わねども昔思えば勇気あふれる〟胎児がんばりの一席、これをもって読み終わりといたします」（拍手）

この話、思わぬ効果があった。聞いた学生の次なる感想。「私は今まで生きてきた中で〝本気で頑張ったことはない〟と思っていました。そしてそれを〝私は頑張れない人間なんだ〟と感じていました。しかし、今回授業を受け、生まれるときに命がけの頑張りをしていたことを知り、何だかすごくホッとしました。これから何か頑張る自信になりそうです」。やっぱり回想法はすごい。

最後にテーマにちなんだ小話を一席。あるレストランでの会話。「あの二人は恋人同士かなー？」「あれはきょうだいだよ。食べているものでわかる」「どうして？」「サンドイッチ。産道一致！」

耳の痛い話

ひんぱんに耳掃除していたら耳が痛くなった。耳鼻科に行くと、耳かきをしすぎて炎症を起こしているとのことだった。「絶対に触らないように！」ときつくお医者さんに言われた。

耳かきをするのが大好きだけれど、痛みをとりたい一心で素直に助言を聞くことができた。治療を受けながら、これと反対に耳の痛くなる話なら人は聞かないだろうと妙に納得した。「忠言耳に逆らう」とはよくいったものだ。

人は自己価値に脅威や不快感を感じると、正しい言葉でも逆らいたくなるものらしい。特に自尊心の育つ反抗期は「Aさせたいなら、Bと言え」という本もあるくらい難しい。ベテランの保育士は、2歳の子どもに「片付けなさい」と言わずに「オモチャはどこにあったかな」と言う。子どもは目を輝かせて片付ける。私の先輩は、学生への助言の最後に必ず「これは僕の意見に過ぎないよ」と付け加えていた。意見言葉と呼ばれるこのフレーズの効果は大きい。その人のプライドを尊重すれば素直に助言が耳に入るようだ。遅刻した学生に「おお！　駆けつけてきてくれたか」と言うと、次回から遅刻しなくなった。

世の中には耳の痛い話というより、耳を疑う助言もあるようだ。ジョーク本に載っていた、最新式の体重計の話。減量のためのアドバイスを音声案内する評判の体重計。ある肥満に悩む女性は、適切な助言を聞けると高額を支払って購入した。ワクワクしながら体重計に乗ったのに体重計は無言。「故障かな」と不安になった瞬間に、アナウンス「恐れ入りますが、一人ずつお乗りください」。

もとより承知でござる

小さい頃好きだった時代劇の決めゼリフは「もとより承知」だった。困難なことがあっても主人公は「もとより承知でござる」とニッコリ笑うのである。

学生時代は年齢より上に見られ、嫌だった。あだ名はオッサン。あるとき悟った。「もとより承知でござる」と笑えばいいのだと。4月から新たな天地へ出発する人も多い。苦労もあるけれど安心である。なぜならもとより承知ならば、苦労は苦労に終わらずに新たな幸せを生むからである。

先日見た映画のワンシーン。主人公にベテランからのアドバイス。「こたえられずに困ったら〝サイレンス・イズ・ゴールデン。沈黙は金〟と言えばいい」。知らないことに徹すると活路が開ける。

私も経験がある。若き頃、妻の実家に結婚を申し込みに行った。タクシーを降りたとき、義父は庭で収穫したホウレン草を洗っていた。私を見た瞬間。義父はそのホウレン草を手にしたまま、「どこの馬の骨か分からない者に大切な娘がやれるか！」と一喝した。私はびっくりした。その正しさと勢いに圧倒された。一言も言えずに黙って立っていた。同時にもっともだと思った。馬の骨はもとより承知だった。

結果的にはこの沈黙と覚悟がよかったのだ。言い訳や口実を嫌う義父だった。7カ月後に結婚。沈黙はゴールドとゴールを生んだ。マイナスがプラス以上になる。このような例が他にもある。

新聞に紹介されていた話。数匹のハチとハエを入れたビンを横に倒して、底の方を明るい窓に向ける。ビンのふたを開けてどちらが早く外に出られるか。実験の結果はハエの勝ち。ハチは明るい方向に出口があると知っているから、底への攻撃を繰り返して出られない。一方ハエはそんな習性はないから、ひたすら飛び回るうちに2分ほどでビンの口から出ていく。知らないというマイナスが強みになる。ひたすら飛ぶ苦労を承知であれば幸せになれる。

私が聞いた英米科1年男子からの報告。「普段から『実年齢より上に見える』とか『老け顔』と言われている友人のA君は、自動車学校の原簿に『平成○年○月○日生、89歳』となっていた。それを見た普段無口な別の友人がボソリとつぶやいた。『機械にまで間違えられたんだな』」。A君あっぱれ！　もとより承知でござるとニッコリ笑うんだ。君は幸せになれる。

金の父・銀の父

膝を痛め整形外科に行った。医師は「半月板損傷です」「そこを治せばいいのですか」「イヤあなたの場合、家に例えれば母屋全体が痛んでいるので、柱を1本治してもムダです」「それは老化ということですか」「まあそうです」。

例えの分かりやすさに感心した。年を重ね、身体も痛むのは当然である。でもいいこともたくさんあると膝をたたいた。道理の見えてくることだ。

今年優勝した日本ハムの新庄剛志選手。「自分も楽しみ、人を楽しませ、仕事と人生を楽しむ」。そんな生き方に若い選手は巻き込まれて成長し、優勝に導かれた。脅かしても人は伸びない。子育ての自分を楽しみ、子どもを楽しませる。そんな育児の道理が年を重ねてやっと分かってきた。

仕事帰り、家にいる長男に「焼き鳥屋に一緒にどうか」と駅前から連絡した。「はいはい。今から行きます」と来てくれたので、一緒に食事をした。以前なら説教じみたことを言うので敬遠されていたが、近頃は「楽しい話のネタ交換」をするのでいい関係である。

その昔、長男を迎えに行った保育園の帰り道、市場で買ったコロッケを手にバイクの前に座っていた。そんな彼も来年は30歳。長男だからこうなってほしい、ああしたらどうかと、うるさく言ってきた。「今よりもっと頑張れ」の気持ちでいた。

だんだん子どもに遠ざけられるようになった。「父親を尊敬しない」と妻に愚痴。あるとき長男に激励のつもりで「家の代表だから頑張れ」と言ったとき、「関係ないと思うけど…」とつぶやかれて、ドキッとした。子どもの今を信じないで「頑張らないと、失敗するぞ」と脅している自分に気付いたのだ。結局、頑張れコールしている自分はひとつも楽しくないのだ。

子どもの人権を守る活動に尽力するCAP北九州より会報が届いた。「今も心に残る、担任の思い出」の記事に心動かされた。その先生は何が起きても楽しい笑顔の人だった。

ある日学級の備品が壊されて問題になった。「今から一人ずつ先生と握手しよう。壊した人はぎゅっと握ってください」と言い、全員と握手した。そしてこぼれんばかりの笑顔で言った。「誰が壊したか分かりました」と。難しい問題を楽しく解決する。大きく受け入れてくれるこんな先生のもと、クラスのみんなは自分を信じ、仲間を大切にするようになるのだろうな。

変な夢を見た。人を抱きかかえて湖から出てきた神様は言った。「この人はお前の父か」。長男は「いいえ違います。私の父はそんな立派な人ではありません」。次の瞬間、私は「金の斧（おの）」になっていた。誰か夢分析できますか？

過去パワーにアクセス

大阪での小学校教師時代に担任した子が、ステキな夫を連れて訪ねて来てくれた。廃止になる前の寝台列車に乗りたいと関西から九州入りしたのだ。

25年前の写真を手に話に花が咲いた。当時33歳だった私は髪もフサフサ、8歳だった彼女はその時の私の年齢になった。教室でウサギを放し飼いにしたり、雪でかまくらを作ったりした記憶がよみがえる。

「クラスの歌を決めて歌っていた」と彼女は言った。そうだった。ピアノのうまい彼女に歌の伴奏を助けてもらっていたことを思い出した。どんなに助かったか。彼女の書いた詩の内容も思い出した。掛け算九九の詩だった。お風呂でも食事中でも寝床でも毎日口ずさんだ、頭が空っぽになった、という内容だった。その詩にすごく感動したのを覚えている。

その日その日をしのぐように、ひたむきに今を生きる子どもたちを思い出した。子どもたちの頑張りに励まされ、支えられていたのは自分だったと今さらながら気が付いた。

駅で二人を見送った後に、今また新たな生きる力をもらったような気がした。過去は人生にどんな役割を果たすのだろうか。未来の夢が今を生きる力になるなら、過去の記憶も今を生きるパワーを与えるのだろう。「過去は常に新しい」という。過去は現在の解釈の中にあって、刻々と変化して新しい価値を生み出し続けるからだ。過去を問うことは今の生き方を問うことだ。

歴史の問題「1600年、石田光成と徳川家康は（　　）で戦った」。正しい答えは「関ケ原」。でもこんな解答をした子どももステキだと思う。「必死」

無呼吸入院体験記

「寝ているとき、呼吸をしてないよ」と妻に言われた。5年ほど前だ。妻の脅しには慣れているし、忙しいのを理由に放っておいた。テレビで睡眠時無呼吸症候群の特集があった。「寝ている間に首を絞められているのと同じ」と聞いてびっくりした。検査入院を決めた。かかりつけのお医者さんとの連携病院なので、事は早かった。夕方6時に病院に入る。パジャマに着替えて部屋にいると、7時過ぎに看護師さんが2人。体と顔と足に色とりどりの電極を付けられ、身動きもままならなくなった。

映画を思い出す。主人公は改造人間になる。悪と戦うスーパーパワー人間に生まれ変わるのだ。こんな姿はそうない体験だと思い、「携帯電話のカメラで撮ってもらえませんか」と言うと、「結構そう言われる人多いですよ。アップも撮りますか」。楽しい看護師さんたちでよかった。

明朝6時過ぎまでそのままで寝る。夜も更けてきた。体を拘束されていると、頭は活発に動くものらしい。いろんなことを思い出す。おやじの最期の病院は、海の見えるいい病院だった。でもそう思っていたのはこちらだけ。寝たきりの父親からは空と窓の桟(さん)しか見えなかったのだと、今頃気が付いた。共感を大事にと教えてきたけれど、やはり体験に勝る学習はない。翌朝、いつも通り出勤した。

2週間後に結果が出た。ギリギリ正常値。「できるだけ横を向いて寝るように」との注意だけ。よかったぁ。これで安心！　でも、妻の背中を見ていると「寝ている間に首を絞められるかも」の心配は消えない。

無限の元気

びっくりしたぁ。この暑さでも、子どもは外で遊んでいる。私は頭皮をかばって室内で虫の息である。

幼児教育の父、倉橋惣三は幼児の特質を「無限の元気」とした。くたびれた大人の見失った言葉かもしれない。でも反対に、今の子どもに自覚させたい言葉もある。「やめなさい」より「こらえなさい」、「しっかりしなさい」より「覚悟しなさい」の方が、子どもの心に届くと学童保育の指導員さんが言っていた。

「無限の元気とこらえる力」。そんな子どもが大活躍する映画を観た。今公開中の宮崎アニメ「崖の上のポニョ」（2008年）。マーびっくり、女の子・ポニョの元気なこと。まさに「無限の元気」。そして出てくる男の子のりりしいこと。潔いこと。本物の子ども、いや人間に出会った懐かしい気持ちになった。人や自然を蘇生（そせい）させる不思議な力を持つ現代の人魚姫は、人間たちの失われた足さえもよみがえらせる。

男性の「こらえる力」と女性の「無限の元気」が調和して世界を蘇生させる。そんな力強いメッセージを感じた。

その昔、子どもらしい言動を見たという学生の話。小学生の頃、弟と2人で留守番中にお客さんが来た。兄貴風をふかし、人見知りの激しかった弟を鍛えるつもりで「出なさい」と言った。覚悟を決めた弟は緊張した面持ちでドアを開けた。お客さん「こんにちは。お母さんいる?」、弟「いらん!」。それ以来、少しりりしくなったという。

プチ心理学授業・三つのできない

イライラせずに生きるコツを習った。簡単だった。「できないことはせず、できることに取り組む」だった。「できないこと」は三つあると聞いた。

一つ目は、「自分の感情を思い通りにすること」はできない。感情は心の中に起こる「自然現象」。雨や風や雷。雨を止められないように、悲しさや不安が湧き起こるのはどうしようもない。雨の日は雨の日のまま生きる以外にないと覚悟することだ。ただ行動は思うようになる。雨は止められずとも傘はさせる。このことを習ってから、やる気感情に頼らなくなった。

やる気はなくても、まずペンを持ち、書くようにした。自信も勇気感情もいらなくなった。風呂掃除やいろいろ「やるっきゃない」のである。

二つ目の「できないこと」は「他人の感情と評価を思い通りにすること」。自分の感情を思いのままにできない以上、他人のそれを動かせるわけがない。「この人は私をばかにしている」と分かっていても、その評価を思うように変えさせることはできない。

三つ目は結論、「現実を思い通りにすること」はできない。暑い夏もクーラーがある。現実を思い通りできると錯覚する。人生は本来思い通りにならないものである。でも受け入れることはできる。この上手な諦めによって一ミリ前進の気は満ちてくる。それに、本来思い通りにならない現実生活で少しでも思い通りになったことに感謝ができるようになる。幼い頃からの私の夢は、「カステラを丸ごと1本1人で食べたい」だった。なんと先日かなったのだ！　合掌。

空

それって目先やん、せま！

「いいことするなー」と感心した。長崎の高校生が「核兵器廃絶の1万人署名」のためにキャラバンを企画。長崎を出発して、最終日には原爆投下予定地だった小倉の勝山公園で署名活動をした。この高校生たちはきっと運が良くなると思った。それはある人の講演を聞いたからだ。

運を良くするには「頼まれてもいない、善いことをする」と教えてくれたのは鹿屋体育大学の田口信教教授である。平泳ぎで1972年のミュンヘンオリンピック金メダリスト。田口さんは金メダルを取るには練習だけではだめだ、運が必要だと気が付いた。運を良くするには心がけが大事だと一日一善。電車で高齢者に席を譲る。車のトランクに常時鍬(くわ)を積み、はねられた犬猫を見たら車を停めて墓を掘って弔う。合宿先でも自分で洗濯をする。とにかく善いことをしようと心がけた。

そうしていると周囲の誰からも「田口さんみたいな人に金メダルを取ってもらいたいねー」と良い機運が盛り上がってくるというのである。単純すぎてウソみたいに思えるけれど、これを理由づけて説明したのが京都大学の藤井聡教授である。「認知的焦点化理論」と呼んだ。こころの奥深いところでその人が何に焦点を当てているかで運が決まるというのである。人に配慮できる人。「配慮範囲」の広い人ほど運がいい。縦軸と横軸でその面積の広さを考える。

例えば縦軸に「関係軸」を取る。自分、家族・親戚、友人、知人、他人とだんだんに上にいくほど関係が広がっていく。横軸は「時間軸」で今日、2、3日後、自分の将来、子どもの将来、社会の未来というように横に広がっていく。縦軸と横軸で表す面積の最も広い人。他人のことと社会の未来を考えて行動する利他的な人ほど、ツキに恵まれることになる。だから学生には「シュウカツ(就職活動)の前にヘイカツ(平和活動)やボラカツ(ボランティア活動)を十分にして、運をつけてから動いた方が人生開けるよ」とアドバイスしている。

自分のことと目先の利益しか考えない配慮範囲の狭い人間は、一見効率よく生きているようで運に恵まれない。だから私は今朝もモノレールの中から足立山に向かって、北九州市だけでなく世界の平和もお願いした。するとその日、職場の女性にお菓子をもらえた。すごくうれしかった。え、これって目先のこと!

うんは巡る!

この世ではない世界で、私の父は帽子をかぶっていた。「かぶり心地はいい?」と聞くと、ニコニコしながらうなずいた。

3カ月前の朝に不思議な体験をした。駅の下りエスカレーターに乗ってホームに降りていた。下からの突風で帽子を飛ばされた。アッと思い後ろを振り返ると、帽子が見当たらない。

それから20分ほど駅構内をウロウロ探し回ったけれどどこにもない。飛ばされて停車中の電車に転がり込んだのかもしれない。駅員さんに調べてもらうように頼んだ。翌日、「ありませんでした」と駅から連絡。キツネにつままれた。

神隠し。そんなことばがピッタリだった。どう考えればいいのか分からない。金環日食のような説明はできないのだろうか。そういえば、頭から帽子が飛ばされたときの「フッ」という感覚は、風で飛んだのではない。何か見えないものの手で取りさられたときの感じだった。「あんまりすてきな帽子だったので亡くなった父親が取ったのだ。父に喜んでもらえたのならいいや」と考えると気がすんだ。

考え方次第で心は軽くなるものだ。こんな話を聞いた。お気に入りのコーヒーカップを割った妻。帰宅した夫に言うと「ごめん。それは僕のせいかも。今日探していた書類がヒョッコリ見つかったからだ。良いと悪いは順ぐりだ」。妻の顔が晴れたという。確かに人生の幸・不幸はプラスとマイナスの循環である。「幸」の漢字は「¥（円）」の上に「プラス＋」と「マイナス－」が乗っている。

……ここまでコラムを書いて、今回の夫婦の話は良くできた話だと妻に自慢すると。「フン！　私はこんなこと夫に言われると嫌だね。だって自分の運は自分の中で巡るんだから、夫婦で循環するというのは納得いかない」。それを聞いた私はムッとして「しかしそれが夫婦というものやろ」と言い返すと急に、「私は夫婦とは思っていない、私は〝派遣〟やから」と言った。「ええ！　どこから派遣されてんのや」と言うと、妻は天を仰いだ。

それを見てほんとに派遣だったら契約が切れるかもしれない、と急に不安になった。

……あ！　そうだ。運(ウン)は巡るという話だった。その証拠となる話を学生から聞いた。イヌの散歩に出かけた。イヌのウンチを入れた紙袋を手にして歩いていた。後ろから不意に現れたオートバイの二人組にその袋を持っていかれた。やっぱりね。ウンは巡るんだ！

無言館

「物心両面の支援」ということばがあるように、物と心によって人は支えられる。お金はただの物だけど、もらうと心が動く。でも偽札（にせさつ）があるように、物と心にも本物とそうでないものがあるようだ。本物の「もの」と「こころ」に会いたくて、東京の仕事のついでに足を延ばして、長野県にある美術館を訪ねた。「無言館」(上田市)、戦没画学生慰霊美術館である。教員として、学徒動員で散った学生たちが残した「もの」とそこに刻み込まれた「こころ」に触れたかった。絵に込められた生の輝きと戦争の理不尽さを今の学生に伝えたいのだ。

「無言館」は海抜700メートルほどの山あいの雪の中にひっそりと建っていた。案内したタクシーの運転手さんは「無言館に入館するときはみなしゃべりながら入りますが、出てくるときはみな無言になります」といわれた。行楽シーズンでない2月の館内は誰もいなかった。十字架型の建物の順路に沿ってゆっくりと歩んだ。一つの自画像の前で足が止まった。その絵が私に話しかけてきて動けなくなったのだ。「あなたはこれからの人生で何を残したいのですか」と語りかけてきた。初めての経験だった。

美術館に頻繁に行く娘に聞くとよくあることらしい。「音楽鑑賞と違い、絵はこちら側次第で語りかけてくるから楽しい」という。当時の画学生は卒業までの課題として自画像を描いた。その絵には「興梠武・昭和15年3月。東京美術学校油画科卒業。昭和20年8月8日フィリピン・ルソン島において戦死。享年28歳」とあった。終戦まであと1週間で亡くなっている。

庭園に出ると赤いペンキを打ちかけられた「絵筆の碑」があった。2005年に慰霊碑に赤ペンキがかけられるという事件があった。説明文には「この美術館が多様な意見や考え方の中にあることを忘れないために、ペンキ跡を残すことにしました」とあった。大きなこころに触れた厳粛な気持ちになった。

物は雄弁に想いを語る。最近学生の体験した、物に感謝とユーモアを語らせたステキなおばあちゃんの話。「バスの中でおばあちゃんに席を譲ってあげました。三つほど停留所を過ぎたとき、おばあちゃんはバスから降りるために立ち上がりました。そして『ありがとう。これで何でも好きなものを飲みなさい』と言い残して、私に〝ストロー〟をくれました」。平和はステキだなー！

はげて良かった

2種類の学生がいることに気が付く。努力をするにつれて不安を高め、しんどそうになる学生。努力を重ねるほど楽しさを感じる学生である。その差はどうも「失敗」に対する考え方の違いみたいだ。

不安になる人は「なくすもの」「失敗」に注目しやすく、楽しくなる人は「得るもの」「成功」に注目しやすい。失敗を気にしていると「防衛的悲観主義」と呼ばれる心のメカニズムを使うようになる。「どうせうまくいかないだろう」と考えることで、失敗したときのショックを和らげ、成功したときには大きな喜びを得よう」とするのである。これはまずいやり方である。だんだんと情熱と活動の喜びを失う。「どうせうまくいかないだろう」という否定語が、脳と心を不活発にする。楽しく幸せに生きるには、「失敗への受け入れ」を勧めることが効果的である。

日本の文化では「失敗は恥をかくこと」とされやすい。「恥もいいもんだ」を体験することが失敗恐怖脳を変えることになる。先日少々の勇気がいったが、自分で試してみた。私の恐怖の一つは頭髪がなくなることだ。だからこの恐怖に対抗するには「あえて、はげてみること」「頭髪のこだわりを開示すること」である。１００円ショップで、頭頂部のはげているかつらを購入した。私は男性だから、女性ばかりの大学で試す方がよりインパクトがある。

女子大で試した。その当日。心理学授業の終わりに１４０人ほどの女子学生を前にこう言った。「今日は特別に私の真の姿を見せてあげよう」と、一瞬の静寂。教卓の背後にしゃがんで、はげのかつらとくるくる眼鏡をつけ思い切って立ち上がった。どよめきと歓声。まるで俳優になった気分がした。これほどまでに注目され、授業の集中に成功したことは長い教師生活で初めてだった。感激した。写メの嵐だった。

あえて恥を乗り越えると、「失敗や恥」は「爆破装置」のような危険で逃げなくてはならないものではなく、「びっくり箱」のようなワクワク感に満ちたものであると分かる。それに向かって積極的に進むべきものである。しかしこのことも結果的には成功したのであるから、あえて失敗の経験を試みるのは本当に勇気と工夫がいるのである。でも「怪我ない」（毛がない）人生はありえないのである。

ふしぎな街

定年まであと2カ月。始まりがあれば終わりがある。定年前の最後の講義を「最終講義」と呼ぶ。先輩の講義を何度か聞いた。どれも見事であった。その順番が1月の末に回ってきた。

しかしいざ自分がするとなると「あれも言いたい。これも言いたい」と欲が出る。聞きにくる先生方に、侮られたくないという見栄も出て、まとまらない。その日の朝、駅まで送ってくれた妻に「まだ悩んでいる」と話すと「しょせん、人間、あるものしか出んのよ」とピシャリ。確かに背伸びしても仕方ない。

いよいよその時。授業のタイトルは「心のふしぎ」。教室は満員だった。「ふしぎ」について話した。やはり、あるものしか出なかった。最後は花束を頂き、芸人のように上着の内側に仕込んだ「アバヨ!」(愛場与)を見せて笑いのうちに終わった。

北九州は「ふしぎな使命の街」であることを学生に伝えたかった。私自身もこの街に導かれた。私の母校も働いた会社も大学も、全てが北九州市。人生の終盤を平和や人権文化の実践へと導いてくれた街である。それは昭和20年、原爆投下予定地としての小倉にも関連している。人類史上2度目の核爆弾搭載のB29。25歳の機長は3度旋回して、原爆投下を試みるも目標の小倉兵器廠は煙で見えないうえに、下から撃たれる正確な高射砲、築城と芦屋基地から飛び立つ戦闘機に阻まれた。小倉上空での必死の攻防。ついにB29は長崎に。その時ポツリと機長、「小倉という街はふしぎな街だ。この3日の間に2度までも救われたのだ」。2度とは。6日広島が曇っていれば小倉に。9日小倉に雲と前日の八幡大空襲の黒煙がなければ、小倉に原爆が落ちていたのだ。仮想被爆都市というふしぎな街に住む私たち。被爆した広島・長崎をつなぎ「核兵器なき世界」の可能性を共に切り開く〝使命〟を与えてもらったのだ。その自覚と心意気をもてと学生に伝えたかった。

最終講義が終わって、私にふしぎなメールがきた。講義に来ていただいた心理学の先生からだ。教室で財布を落として慌てたが、防災センターに学生が届けていてくれたそうだ。礼を言ってくださいとのこと。ふしぎなことに気が付いた。その心理学の先生の「氏名」と「さいふ」を組み合わせて語順を入れ替えると、「たましいおつかふさ」(魂を使うさ)となった。お金より魂に共鳴する講義ができたと自分で納得しうれしかった。

次は地域での最終講義を小倉の名画座「昭和館」で行う。映画と私の「平和講談」。きっとまたふしぎが起きる。

ち問ち答

「女性に話しかけようにも話題がありません」。男子学生に相談された。どうしても女性に比べて男の方が会話能力に乏しい。実は私もそうだった。よく知られている対策は話題の頭文字を「木戸にたてかけせし衣食住」として覚える方法。「気候・道楽・ニュース・旅・天気・家族・健康・性・仕事・衣類・食べ物・居住地」、これらを話題にする。

話題を決めたらそれを質問形式で相手にぶつけるといい。「居住地」だと「どちらにお住まいですか?」と尋ねるといい。良い質問は相手との距離を一気に縮める接着剤の役割を果たす。

夫婦2組のうち1組が離婚すると言われる離婚大国アメリカ。国家予算レベルのお金を使って、離婚を回避させるための夫婦のコミュニケーションを研究している。その結果、男性の質問力を高めないといけないという。男女の会話分析をすると、男はほとんど相手に質問しない。言いたいことを言うだけである。これでは女性側に不満が残る。

そこで私は以下のようにして、男子学生の質問力を強化している。2人一組になって「質問ごっこ」をしてもらう。ジャンケンをして勝った方が負けた方に3分間質問する。「趣味は何ですか?」など。3分たつと交代。質問される側にまわる。1回戦が終わると私が講義する。「質問は〝開かれた質問〟と〝閉じた質問〟に大別されます。閉じた質問とは〝はい・いいえ〟あるいは〝短く簡単にこたえられる〟質問。例えば『音楽は好きですか？』など。この質問は短時間で多くの情報を集めるのに向いています。次に開かれた質問とは例えば『この頃どうですか？』などの漠然とした聞き方や『死にたいと思ったことは？』など。心に食い込む質問です。相手と触れ合える質問といえます。ではもう一度〝開かれた質問〟を意識してやりましょう」。こう言って2回戦をやる。これでかなり質問力をアップできる。

質問の王様は「自問自答」。人生が変わる。ある名経営者は〝ニッコリ笑って死ねるだろうか〟と自問して経営方針を大転換、成功したという。しかし少し違う事例を学生に聞いた。

電車のボックス席に3人の乗客。1人は中年の男性。あと2人は若いカップル。若い女性が甘い声で「ねぇ。ほっぺたが痛いの。治して」。彼氏が彼女の頬に優しくチュッとすると、「うふ。治っちゃった」。すると「今度は頭が痛くなった」。彼は「しょうがないなー」と額にキスをした。「うわー。治っちゃった」。そんな2人を見ていた男性、もう我慢の限界とばかりに「おい、君！」と大きな声をあげた。カップルは叱られると思い、身を固くした。男性は彼に質問した。「き、君は痔も治せるかね？」

冷ます無邪気・温める無邪気

ふらりと入った居酒屋。メニューに「しりとり鉄板焼き」とあった。何だろうと聞くと、材料がしりとりになっているという。「めんたい・いも・もち・チーズ」。面白い店だなーと思い、店主さんに「めんたいの前に〝するめ〟を入れればもっと良くなるのでは」というと、「イカにも」と軽くかわされた。

今度はテーブルの上を見ると、しょう油ビンが三つ。頭にそれぞれ「さ・し・す」とマジックで書いてある。「し」はただの「しょう油」。「す」は「酢じょう油」だと予想はついた。そこで残る「さ」は多分「刺身じょう油」だろうと思い、出てきた刺身にかけようとしたら、先ほどの店主が言った。「砂糖じょう油ですよ」と。「えええ！」と驚き、手が止まった。すると「冗談ですよ」と言う。「刺身じょう油ですよ」と。「刺身じょう油」で正解だった。みんな笑顔になった。

こんな年を重ねた者同士の無邪気なことば遊びは罪がなくて楽しい。子ども同士のやりとりならもっと無邪気で面白い。でも幼さゆえに、ほろ苦い記憶となる場合もある。子どものときに相手の無邪気さに戸惑った話を男子学生に聞いた。

小学3年の夏に初めて女の子にラブレターをもらったという。小3ながらとてもウキウキし、ドキドキしていた。初めての経験で、どうすればいいのかと慌ててもいた。それでトイレの中で見ようと決心。便座に座り手紙を開けると「あなたのことが好きです」とカラフルな字が目に飛び込んできた。

今にも叫びそうになった。その後に何やら順位が書いてある。1位〇〇君。2位△△君。3位森田君と自分の名前が書いてあり、またカラフルな字で「好きな人の順番」と書かれてあった。最初理解できなかった。冷静になり考えた結果、自分は3番目に好きなんだと分かった。そしてこのラブレターは書かなくてもいいんじゃないかと怒りを覚えたという。小3の暑い夏、女の子の「無邪気」さに心を冷やされた話である。

変わって次の話は無邪気な妹とのやりとり。妹が風呂のお湯を少しだけためて足をつけていた。尋ねると「足湯している」と言う。家の風呂ではあまり効果がないというと、妹は風呂のボタンの一つに足湯の機能があるのだと言った。初めて知ったので驚いてそのボタンを見てみると、そこには「足し湯」と書かれたボタンがあった。何だか心が温かくなったという。

雲をつかむような話

子どもはどうして、人の顔や物をじっと見るんだろうと思っていた。その謎が解けた。先日、田川市立美術館に行った。絵本画家の黒井健さんの原画展だった。絵本「手ぶくろを買いに」や「ごんぎつね」の絵を描いた人である。オイルパステルを使った柔らかなタッチの絵を見ていくとドンドン心が洗われていく。不思議だった。出口で黒井さんの絵本を買い求めた。「おかあさんの目」（あかね書房、１９８７年）。文はあまんきみこさんである。

――三つか四つの私はお母さんのひざに座っていた。お母さんの顔を見て話しているとき「あ！」と驚いた。お母さんの黒いひとみの中に、小さな小さな私がいるのに気付いたのだ。よくよく見るとお母さんの目の中にいっぱいいろんなものが入っている。みどりのカーテン、窓の外のポプラ。「いっぱいでお母さんの目、こわれない？」「いたくない？」「いいえちっとも」。今度は息をつめて見てごらんと言われてじっと息をつめて見ていると、目の中の私が消えて、青い空、山や海、白い舟まで見えた。お母さんは言った。「うつくしいものに出会ったら、いっしょうけんめい見つめなさい。見つめると、それが目ににじんで、ちゃあんと心に住みつくのよ。そうすると、いつだって目の前に見えるようになるわ――

子どもがじっと人や物をいる見ているのは、うつくしいものに出会っているからなのだ。

昨年、初めて長期で入院した。退院後変化したことは雲をよく見るようになったことである。病室から見る青空と雲は本当にうつくしかった。それ以降、雲を見るたびに「きれいだなー」と思う。今まで僕の心には雲や青空が住みついていなかったかもしれない。

そういえば、心にしっかりと雲の住みついている人がいたっけ。タクシーに乗った時のことである。すこぶる健康そうな運転手さん。「何か健康にいいことやっていらっしゃいますか?」と聞くと「別に」。そんなはずはないとさらに尋ねると、「待ち時間に空を見ている」。理由を問うと、笑われるから言いたくないという。笑いませんからと、答えを懇願するとやっとのことで教えてくれた。

「きんと雲」。孫悟空の乗っていた雲である。心の中には住みついているけれど見たことはない。小さいときからずっと探しているけれどまだ見つからない。おかげで視力が衰えないと言われた。年に似合わぬ少年のようなさわやかなお顔だった。

念ずれば花開く

出席カードの裏に書いてあった。「どうしても自分が何になりたいか分かりません。どうしたらいいですか」。まじめな学生の切実な質問である。今人気のディズニー映画「ズートピア」(2016年)は警察官になりたい夢を実現したウサギの成功物語である。心の底から「○○になりたい」と思うものがほしい。

確かに人工知能と人間の違いは「モチベーション(動機)をもてるかどうかだ」とされる。言い換えれば「使命感」をもてるのが人間なのである。一流の人ほど動機・使命感がはっきりしている。使命感を起点に「できること」を努力してやっていると「その人にしかできないこと」に変わり、最後は「なりたい自分」になれるのである。

ハーバード大学で「思い出に残る教授」に選ばれた、北川智子さんもその一人。学生としてハーバードで受けた「ザ・サムライ」の授業。先生の口から出てくるサムライは全て男性だった。なぜ？　思い切ってクラスメートの前で「男だけがサムライの歴史ではない。とにかくレディー・サムライは絶対いるのよ」と言い切った。

このとき「ある種の使命じみた感覚」にとらわれたという。彼女がハーバードの先生になれた原点である（北川智子「ハーバード白熱日本史教室」新潮新書、2012年）。

どうやったらこのような行動の原点となる使命感がもてるのか？　冒頭の学生の悩みである。ヒントはホームレス支援のプロフェッショナル奥田知志さん（NHK、2009年放映）のことばにある。「使命という風が吹いたときにそれに身をゆだねること」と表現した。そして風を感じたら「自分の思いとか考えとか、都合とか好き嫌いというものを一部断念しなさい」と説く。風はいつも吹いている。大切なのはフト風を感じたときに身をゆだねる勇気である。あとは好き嫌いなく一直線。気が付くと、なりたい自分がそこにいる。

実は私もそうだ。幼い頃「催眠術をかけたり、呪文を唱える魔法使い」に憧れた。今それが実現している。私が教壇に立つとふしぎな催眠術にバタバタ学生が倒れる。講義の声は呪文のように教室に響く。この間、学生が話していた。「先生、この頃独り言が多いよね。

自分で気が付いているのかね」「いやー、気付いてないと思うよ。みんなが聞いていると思っているようだから」。ほらね！

孤独とわっか

「誰でも〝孤独〟な気持ちになると分かって楽になりました」。学生からのコメントである。「孤独」と「孤立」の違いを学生に説明したのだ。

残念ながら人は一人で死んでいく。孤独は当然の感情であり、これを思い通りにはできない。どんなに楽しくてもフト孤独感を感じるのが人間なのである。だから人は人間関係をつくり「分かち合い、連帯する努力」をしてきた。

先輩は「嫌だろうが酒の付き合いは断るな」と助言してくれた。孤立はよくないからだ。孤独を感じ、それを慌てて打ち消そうとしたり、怖いものだとすると孤立が始まるのである。ネットにハマるとなおさらである。

孤独は当然だと覚悟した時、不思議なことが起こる。絵本「ちいさな1」（ほるぷ出版、1994年）は面白い。数字の1の物語である。1は独りぼっち。2の世界に入ろうとするけれど形が違うから入れない。3の世界も4の世界からも排除される。9の世界には9匹の金魚が泳いでいる。誰も1なんか見もしない。1はがっかりする。そんな時に真っ赤な「わっか」がころころ転がってきて声をかけてくれた。「ぼくのよこに立ってみて、ぼくらは10になれるんだ」。そしてちいさな1とわっかは一緒に楽しそうに遊びだす。絵本は穏やかに安らかに寝ている1で終わる。孤立しないで孤独を楽しむ1の姿である。

妻と博多座に行った。演目は「夫婦漫才」。演題と主役の大地真央さんに魅(ひ)かれて、初めて夫婦二人で博多座に出かけたのだ。会場に入ると、華やかな呼び込みの声で弁当の販売をしている。舞台の幕間に座席で弁当を開くのも芝居見物のだいご味である。私が「買おう」と言うと妻は「私はいらない」という。何でと聞くと、「もったいないから、家に帰ってあるものを食べる」と言う。「なんでやねん!」と思った。いつも言い出したら聞かないから諦めた。

幕が開き、舞台での夫婦を見て驚いた。私と同じような頼りない旦那さん。妻の仕切りで生活が進むという二人の関係だった。でも二人とも幸せそうだった。絵本を思い出した。1とわっかの組み合わせはこんなことだろうなと。11月は夫婦の日が2日あった。11月22日が「いい夫婦の日」、11月23日が「いい夫妻の日」である。たくさんいる1の皆さん!赤や青、金のわっかを信じよう。

ヘビーな話

甘いスイカの見分け方。色の濃さなどいろいろあるが、一番はっきり違いが出るのはたたいたときの音である。甘いのは低い音とされる。たたき比べれば分かる。人間もそうらしい。

オリンピックが終わった。大きな出来事というのはたたかれるのと同じ。大きな試練である。本物とそうでないものとが見分けられてしまう。スケートの浅田真央さん。メダルにこだわる私たちに大切なことを教えてくれた。２０１４年ソチオリンピックでは二つの演技の一つがうまくいかなかった。メダルどころか入賞も絶望的だった。ところが残されたフリーの演技で自己ベスト。演技終了後に見せた涙は大きな感動を呼んだ。

彼女の演技プログラムが行われた15分間に15万件のツイッターが「感動」の2文字をつぶやいた。金メダリストの羽生君の約4万件を上回った。中国版ツイッター「微博」でも多くの賞賛があったとされる。「人の息を止めさせるほどの素晴らしい演技。金メダルは獲得できなかったが、すべての人の尊敬を得た」「失敗しても立ち上がったあなたは氷上の女王だ」「浅田真央の演技で涙が止まらなかった。努力をする人は永遠に美しい」（産経ニュース、２０１４年2月21日）。

この「国境を超え、人をつなぐ感動」の正体は何だろう。彼女が全身から発した「諦めるなの叫びと希望の匂い」ではないだろうか。先日大阪の堺に行った。40年ぶりに人生の恩人に会うためだ。当時24歳と28歳。少々お互いに老けたが、同じ声、同じ誠実さだった。駅で懐かしさのあまり思わず抱き合った。

当時の記憶がよみがえる。未熟な自分が情けなく、慣れない土地と当時就いていた営業の仕事に心がつぶれそうだった。町工場で黙々と汗するその人は言った。「中島君、顔に絶望と書いてあるよ。〝希望の匂い〟のする男になれよ」。はやっていた歌の一節である。「絶望とは自分に諦める許可を与える感情」と後年、心理学で学んだ。諦めに立ち向かう希望への勇気をもてば、絶望は退散すると教えられたのだ。

恩人と別れた後、大阪でさらにパワーをもらった。大阪の寄席で落語家に毒ヘビの見分け方を聞いたのだ。ヘビと出合ったら逃げずにゆっくりと立ち向かっていく。そのとき、横に「どいた」ヘビが「どく」ヘビであると…。絶望という名の毒ヘビも真央ちゃんのようにひるまず立ち向かえば横に「どく」のだ。絶望、恐るるに足らず。

木とライオン

「ぞうがいます」という五味太郎さんの絵本を読んだ。子どもは言う。「ぞうがいます。

ぼくだけのぞうです」。いつも励ましたり、慰めてくれるぞうがいるというのだ。

絵本には真っ白い大きなぞうが雲のようにいつも子どもの頭上に描かれている。先生にも友達にも見えないぞう。子どもにいつもパワーをくれる。

そのことを、お父さんに話した。父親は「おれはいつも、ライオンといっしょさ」と言った。そして絵本にはライオンのしっぽらしきもの。私なら「バカなことを考えてんじゃない」。よくいえても「きょぞうか?」ぐらいだろう。

健康で自分らしく生きるには、この子どもやお父さんのいう通り、心にパワーを与えてくれるぞうやライオンのような存在を大切にしたい。これは理想化自己対象と呼ばれる。勇気のもとである。理想や夢や憧れといってもいいのだろう。勇気が勇気を、憧れが憧れを育てる。イチローを育てたのは父親の野球への憧れである。

憧れや勇気を見失ったお父さんの立ち直る映画がある。昨年公開された「フライ・ダディ・フライ」(監督・成島出、2005年)。しょぼいお父さん役に堤真一さん、そのけんか指南役の高校生に岡田准一さん。父親の堤は一人娘をボクシングの高校生チャンピオンにボコボコに殴られる。人のいい彼は相手の暴力と親の権力にひるみ、示談金で丸め込まれてしまう。しかし、決意して一転。空飛ぶタカに憧れる岡田を師と仰ぎ、戦い方と基礎体力の訓練に励むことになる。やっとこの父親は、自分を鍛え、勇気と憧れを示してくれる「ぞうやライオン」に出会えたのだ。

映画を観た学生の反応。「父親は岡田君と出会えたことで、肉体的だけでなく心も強くなったと思う」

ある女子学生は「女の子が観るとお父さんに対する気持ちが変わる」といった。「大切なものを守りたいんだろう。オッサン！」の岡田君のセリフに私の胸はドキッとした。ライオンを見失いがちな私たちお父さんに、勇気と憧れを思い出させる名作である。

私の勇気のもとは動物でなく木である。近くの公園で早朝に体操をしている。もう3年ほどになる。木の一本一本に家族を割り当てている。父母の木もある。面白いことに個性と枝ぶりがだんだん似てくる。亡くなった父と母の木と話すことで一日の「勇気」をもらえる。ただ困っているのは公園内でもっとも堂々としている木を、妻と私とどちらにするかで、ずーっと決めかねていることだ。とりあえず今のところは、そばのしょぼい木とセットで考えている。

ズレとズラ

うっかりしていた、郵便はがきは62円だった。10円不足で戻ってきた。先方の準備した返信用はがきが52円だったのでブツブツ文句を言ったら、妻に「確認しなかったあなたの方が悪い」と言われ、ムッときた。しかし確かに「観察力」の不足だった。「疑ってかかる」

というのは悪いことではない。

　ベテランの看護師さんや看護のリーダーの人たちと話して感心するのは「観察力・推察力」の鋭さである。患者のちょっとした変化にも敏感に気付くように訓練を受けるのだろう。言い方を変えると「心のアンテナ（送・受信機）」の感度を上げて使っているのである。

　ユングは人間のタイプを「思考」「感情」「感覚」「直観」の四つの機能の特徴で考えた。これを「心のアンテナ」に当てはめると、人は四つのアンテナのどれかを好んで送受信していることになる。例えば「リンゴ」の実物を目の前において、最初に浮かぶ言葉を言ってもらう。「思考タイプ」は「リンゴ」と言う。「感情タイプ」は「おいしそう」。「感覚タイプ」は「赤い」。「直観タイプ」は「白雪姫」などと想像を巡らす。

　ある看護教師は、一人の学生がいつも長袖のシャツを着ているのに違和感をもった。個別に呼んで話を聞くと、手首にたくさんの傷があった。母親も気付いていないという。本人を勇気づけて親を交えての三者面談を行った。初めて母と娘が向き合い、互いの本音が出た。その学生は見違えるほど元気になったという。

　その先生は「長袖」を見て「リストカット」を想像した。「直観」のアンテナを使ったといえる。自分の得意なアンテナを自覚しておきたい。子どもは直観や感覚のアンテナを多く使い、大人や教師は思考や感情を多く使うとされる。相手のアンテナに向けて送・受信をするときには配慮が必要である。ズレるとまずい。

「思考と感情のズレた話」を学生に聞いた。食事中に父が沈んでいる。カレーが大好きなのに手元が進まない。心配した母が尋ねると「いやちょっと悩んでいただけだ」と言った。すると母が場の空気を変えようとして「そっかぁー。それより話変わるけど、最近髪の毛薄くなってきたんじゃない」と言った。それを聞いた父は「話変わってないよ」とつぶやき、カレーを残して自分の部屋に閉じこもったという。残念！

最強の2人

「分かっていたつもりで分かっていなかった」と反省したことがあった。中学の同窓会に行ったときのことだ。会場は昔の面影を残したおじいちゃん、おばあちゃんでいっぱい。昔話に花が咲く。

面白いなーと思ったことがあった。級友2人の話だった。A君は中学卒業後、県下トップの高校に進学した。その後九州トップの難関大学に合格。卒業後市役所に勤務の後、無事退職した。もう1人の級友B君は高校に進学しなかった。家の都合もあり中学卒業後、食堂の出前の仕事に就いた。過酷な毎日に耐えかねて親にも言わずに東京に出たという。結婚後九州に戻り、運送会社を勤め上げ無事に退職した。

現在、A君はシルバー人材センターで草木のせん定の仕事について数カ月。新人だから修業中。B君は同じ人材センターで草木の洗浄の仕事ですでに5年のベテラン。B君はA君に「俺の方が先輩だな」とニッコリ笑っていた。同窓会が終わり、帰宅してフト気付いた。「2人の話」を聞いていて面白いと思った自分の未熟さだった。

私が面白いと思ったのは、「若い頃は優位と思っていたA君が、人生の終盤でB君に逆転された」と思ったからである。しかし、よくよく考えると、そもそもA君とB君との間に「上下」も「優劣」もない。それなのに面白いと感じたのは、私の心の中に「上下」「優劣」を意識する心がずっとあるからなのだ。

妻に「あなたは学生に平等を説くけれど勝ち負けや上下にこだわる」と言われてきた。「そんなことはない」と思ってきた。確かに良い人間関係を結ぶには、「タテの関係を捨て去ること」だとアドラー心理学にもある。タテの関係とは、物事を「上下」「優劣」「勝負」「正誤」で考える心のクセである。これがあると片方の「上位」「優位」「勝ち」「正解」を尊び、その一方をついばかにするようになる。

コミュニケーションの語源は「分かち合うこと」だから、互いに対等という「ヨコの関係」を身に付けないといつもイライラして対話（対等の会話）ができない。会話とは本来、喜びや智恵を「分かち合うこと」である。ごうまんな「上から目線」でもなく、卑屈な「下から目線」でもない。お互いを認め合う「対等・水平」の感覚をもつのは修行だと改めて実感した。「最強の2人」は「対等の2人」である。

忘れられない光景

24歳の頃、大阪の堺市で営業の仕事をしていた。町工場の多い地域だった。暑い夏の夜、青年たちの勉強会に参加していた。クーラーもない町工場の2階。畳敷きの部屋は、いろんな職種の人たちでいっぱいだった。話の終わりに講師のその人は言った。「そちらの方、ちょっと立ってくださいませんか」。言われた青年はビルの建設現場の作業着姿そのままで来ていたのだ。

「私は彼が一番尊いと思う。ネクタイをしている人もそれはそれでいい。しかし忘れていけないのは、どんな仕事もこうやって現場で汗を流している人こそ、最も尊いということです。そして現場着そのままの姿で勉強会に駆けつけてきた彼の心を、私は最も尊いと思う。みんな拍手をしよう。そしてわれわれも上着とワイシャツを脱ごうじゃないか」

講師は自らのネクタイをとり、ワイシャツを脱いだ。その行動にネクタイをしていた者はネクタイをはずし、全員彼に倣った。立っていた青年の瞬時に変わった表情と、全員下着のシャツ1枚になったあのときの会場の光景を、私は忘れることはできない。このような言動のできるリーダーになりたいと、心の底から思った。

しかし、あの講師はどうやって会場の隅でうつむいている青年の気持ちを理解できたのか不思議だった。後年、心理学で「あらゆる科学の出発点は観察と共感である」と習った。人間関係も同じだ。

尊敬する大先輩に若い教師時代の失敗談を聞いた。小学校3年生担任のときだった。いつも遅刻する女の子がいた。何度叱って、罰を与えても直らない。その日、研究授業の準備のために早朝6時に登校した。途中でパジャマ姿の彼女を見かけた。買ったばかりの豆腐を手にしていた。あとで分かった。幼いきょうだい2人に朝食を食べさせてから登校していたのだ。

叱ったことを謝ったが、すでに遅かった。その後、同窓会にいくら誘っても、彼女は絶対に参加することはなかったという。遅刻を責めたときの彼女の悲しそうな表情を見逃したのだ。先輩はその後、教壇から一望するだけで「〇〇君、何か言いたいことがあるだろう」と言えるようにまでなった。

私も教師のはしくれ、観察力を磨いているけれど難しい。この間、講演会の休息時間に女性がお盆にカップを乗せてきてくれた。「うわー！　どうして私のコーヒー好きが分かったんですか」と言うと、「えっ！　これは紅茶ですけど」「…」。

弱者の戦略

昔は先生で今では立派なおじいさんたちが集まり、勉強会をしている。先月の勉強会の一幕。生物学者のAさんが突然「ダンゴムシは障害物にぶつかると右と左どちらに曲がるか？」と皆に質問した。ひげの政治学者Bさんは「それは年齢で違う。若いダンゴムシは右だ。若いという字には右が入っとるからだ。ハハハハ」と笑った。答えは「決まっていない」。みんな、なあんだという顔をした。

するとと生物学者Aさんは「ただし、右に曲がったダンゴムシは次にぶつかったら左に曲がる。その次は右にというように右・左・右・左と交互に方向を変える。これを〝交替性転向反応〟と呼ぶ」。「ホ〜」と皆が感心した。

確かに右ばかり曲がるとグルグル回ることになる。天敵から逃げるための習性だという。「右ばかり見るのが若者。左も見てバランス良く生きるのが大人だと若者に説教せんといかんな」とうれしそうに体育学のCさん。

ここで僕が「今日の本の紹介はこれです」とかみさんから借りてきた本を出した。「弱者の戦略」（稲垣栄洋、新潮社、2014年）である。自然界は弱肉強食の厳しい競争社会。ナンバーワンの強い者しか生き残れない。それなのになぜダンゴムシやナメクジなど他愛もなく弱いと思われている生き物がたくさんいるのかが説明してある。例えば他の生物と少しずつ棲（す）む環境を「ずらす戦略」がある。

一例を挙げると、時間をずらして夜行性になる。エサやライフスタイルをずらすことで同じ場所でも共存することが可能である。「棲み分け」と呼ばれる。そうやって弱者であってもそれぞれがナンバーワンをキープしているのだ。

パラパラと本をめくりながら医学畑のDさんが言った。「面白そうなのはナマケモノの箇所ですね。恐ろしい天敵のジャガーから逃れるために徹底して〝動かない〟という戦略を立てた。しかしエサを取るためには動かないといけない。動くとやられる」

そこで彼らは誰も食べない〝毒のある葉〟をエサにした。「動かないのでエネルギー消費も少なく食べる量も少しでいい。動かず、目立たず、生き残る」。聞いていた私は「まさに僕みたいだなー」と恐妻家の暮らしを振り返った。

家に帰って妻に「私の戦略は何だと思う？」と問うと、予想通り「ナマケモノ」と言われた。もっと強い動物がいいなー。でも、そうだろうな。妻という字が毒に見える時があるん・ジャガー。

声の力

パチンコが大好きなAさんにやめた体験を聞いた。ある日曜日Aさんは、妻に頼まれ一人息子を理髪店に連れて行った。理髪店のおやじさんに息子を頼むと、自分はパチンコ店に。気が付くと夜になっていた。慌てて理髪店に戻ると子どもは家に届けたという。ホッとして帰ろうとするAさんの耳に、「しかし、一人息子を忘れるくらいパチンコやるかね…」。おやじさんのつぶやきにドキッとした。

トボトボ夜道を歩き、玄関を開けて妻の顔を見るなり「おい！　明日からパチンコやめるけな」。その後30数年間、一切パチンコをやっていない。Aさんの心の中に何が起きたのか。心理学ではこれを洞察や気付きと呼ぶけれど、私はおやじさんの声の力によるものだと思う。

「メラビアン法則」として有名なのは、人が他人から受ける情報の割合である。表情・服装・身だしなみ（55％）、声の質・抑揚（38％）、内容（7％）である。話の内容よりその言い方と声に人は大きな影響を受ける。おやじさんのあきれ顔の表情と声の力が、Aさんの心を打ったのだ。

私にも耳に残る声がある。私の講演を一番前で父親と聞いていた小学生、帰り際に二人手をつないで「おもしろかったね！」。この声音は今も私を励ましてくれる。

人生の意味を声の力によって得た人もいる。ヤンキー先生こと義家弘介さん。バイクの交通事故で死線をさまよう。病室のベッドの上、顔にかかる涙で気が付いた。そこに、4年前の高校時代の恩師の顔があった。彼女の声が耳に飛び込む。「死なないで、あなたは私の夢だから」。いつも激励してくれた先生の声が身体の奥深いところに染み込んできたと義家さんは後年語っている。気持ちを伝える声の力はどうやったらつくのだろうか。

ボイストレーナーの亀渕友香さんは「エネルギーがあってバランスの良い声に人は集まる」という。そのためには〝ゼロの声〟を出せるようになることが大切らしい。できるだけ無心になり、静かにしてから発声したときの声である。朝の太陽の光をいっぱいに受けて何も考えずに「あーあーあー！」。これが、ゼロの声である。これが出せるようになると、次に朝のあいさつをきちんとする。ゼロの声に気持ちを乗せる訓練である。

練習をしていないとこんなことになる。学生の話。「厨房の人はホールの私たちに客足を心配して尋ねた。『今何組？』。2組しかお客はいない。確認して伝えようとしたら、隣にいたアルバイトの高校生、『今ですか。3年4組です』」

新しく船出する君に

「あの鐘を鳴らすのはあなた」。この曲を改めて聴いて心揺さぶられた。さすが名作詞家・阿久悠さんの作品である。あなたに会えて良かった理由は「希望の匂い」がするからという。希望の匂いってどんな香りだろうと思った。

ナチスドイツのアウシュビッツ収容所で最後まで生き延びた人は、誰かが自分を待っていてくれるという希望を持ち続けた人たちであったという。人は心の中に希望のある限り、困難な状況に負けないで生き抜くことができるのだろう。

つながり合うことの大切さを実践する、ある優れた教師は「心に人を住まわせる。心に定員はないのだから」と表現した。自分の目の前の人とつながり合うとは、その人に頼み込んで自分の心の中に住んでもらうことだという。希望を失いそうになったときは、希望にあふれた人に住んでもらえばいい。

一枚の古ぼけて変色したボロボロの写真を持ち歩いている。裏には「龍さんと。昭和47年」と書いてある。大学卒業間際、社会人になるのが怖くて仕方なかった。「電話をきちんと取れるだろうか」「会社の人とうまくやれるだろうか」。気の小さい私は不安でいっぱいだった。

意を決して四国、高知の桂浜に行った。手元の写真には、坂本龍馬の銅像の前で私が精いっぱい強がって写っている。げたを履いた足元には京都で買った番傘を入れたナップサック。

多分あの時、私はこの維新の英雄に自分の心の中に住んでもらわないと、怖くて社会に出られなかったのだろう。龍馬に希望の匂いをかいだのだと思う。その後40年近く希望を見失いそうな時、この写真が支えてくれた。希望には勇気が含まれている。

世の中には同じような人がいるものである。大学3年生だった1月のある日、私は北九州市役所前にいた。駅伝のゴール会場でアルバイトをしていたのだ。時間が空いたので、小倉市民会館での「成人式の集い」をのぞいた。聞いたことのないグループ「海援隊」の演奏中だった。歌い手は武田鉄矢と名乗っていた。初めて聞く名前だった。これから東京に出て行くという高揚感と希望にあふれていた。彼らも「坂本龍馬」に自分の心の中に住んでもらい、グループ名も「海援隊」としなければ、わずかな成功の可能性にもかかわらずに上京して挑戦するという行動は怖くてできなかったのだろう。

もうすぐ春らんまん。新しい希望の船出をする人たちも多い。あなたはどんな人を心に取り入れていますか。心配いりませんよ。私はあなた自身に「希望の匂い」を感じるからです。

絵本を読もう

賢い人は身近にいる。子どもである。ことわざにも「負うた子に教えられて浅瀬を渡る」とある。そんな子どもの賢さの秘密は絵本の中にある。それは「たましい」や「いのち」と呼ばれるものの力にあふれており、「見えないつながり」や「ふしぎなもの」が描かれているからである。

大人になると金目の「もの」や「目に見えること」しか信じられなくなる。しかし、それは仕方のないことかもしれない。目の前の現実との闘いに気を取られて、「たましい」などという怪しげなものに関心をもつゆとりももてない。私もそうだった。でも近頃変わってきた。お年寄りになったからである。

お年寄りと子どもは仲がいい。そのわけは両者とも「あの世に近いから」である。子どもはあちらからきて間がない。お年寄りはもうすぐあちらへ旅立つからである。だから両者は「ふしぎをふしぎとそのまま認める勇気」をもつ。

児童文学者はどういうわけか子どものふしぎを忘れないまま大人になり、子どもの中にあるたましいを描くことができる。だから絵本には人類の英知が詰まっている。

五味太郎さんの「ぞうがいます」（文化出版局、2001年）にはコフートの自己心理学の最新理論が描かれている。谷川俊太郎さんの「いちねんせい」（小学館、1987年）の〝はえとへりこぷたあ〟には東洋の深い人間観「あるがまま」がサラリと表現されている。

子ども自身が描いた絵本と出会った。先日、豊かな心を育てようと取り組んでいる幼稚園で、年長さん（5歳）のつくった絵本を見た。1ページ目はハムスターの絵と「はむすたーが」の文字。2ページ目はハムスターを怒っている女の人の絵。その横に「おこられて」の文字。3ページ目「しゃべった」の文字とハムスターがいきなりしゃべりだした絵。4ページ目「みんながおどろいていた」の文字に3人の人が驚いている絵。これで終わり。

これを読んだお母さん。つけられた題を見てつい涙ぐまれたそうだ。題は「はむすたーだって」である。「私がいつも怒っているから」とお母さん。

5歳といえど侮れない。人権や自由や平等の世界観をもっている。いや5歳だからこそ確かな智恵をもっているのである。さまざまに起こる世の乱れを見ていると、子どもも国会や国連を開催して、絵本を基に質疑するほうが幸せな地球になると近頃本気で思う。

〝かみ〟とともに去りぬ

不快指数があるなら〝愉快指数〟があってもいい。身近に起きた愉快な話を学生に取材したので残暑お見舞いとして。トップは自動車学校ネタ。運転は緊張するため失敗談も多く、教習所はネタの宝庫である。

愉快指数85の話。初めての実技講習だった。同じグループになったおばさんは最初に運転することになった。突然、教官に「発進の合図！」と言われてパニックになったおばさんは「発進！」と大声で叫んだ。教官に「違うでしょ」と言われると、「発射！」と叫んだ。

もう1題、愉快指数86の話。狭い道での路上教習だった。おまけに子どもたちがたくさん下校していた。教官は「子どもは急に動くから危ない。注意して」と言った。運転していたおじさんは何を思ったのか急いで窓を開けて「こらー！　危ないじゃないか」と注意した。

次は学生たちの祖父母の話。このネタも多い。人生の深みを感じさせて味わい深い。

愉快指数80の話。結婚した姉は祖母にハンバーグを作ってもらい自分の子どもたちに食べさせた。「すごい！　おいしい」と子どもたちが喜んだので、祖母が作ったと教えた。次にもらったコロッケも揚げて食べさせるとおいしかったので「これもおばあちゃんが作ったんよ」と言った。後日、姉は唐揚げを工夫して作った。子どもたちは「おいしい」と喜びながら「これ、おばあちゃんが作ったんやろ」、姉は「違うっちゃ。作るとこ見たやろ」。でも子どもたちは「うそー、おばあちゃんが作ったんやろ」と言い続けた。それ以来、姉の作るおいしいものは全て「おばあちゃんが作ったんやろ」と言われている。普段、何を食べさせているんだろう。

最後の話は学生の思い出。愉快指数88の話。私の幼い頃、母から「ウンチをしたらチャンと『出たら出た』って言うのよ」としつけられた。私はそれを素直に聞いて、ウンチをしたら家の外でも「でたらでたぁ！」と叫んでいた。母は何も指摘しなかったので、私はこの「でたらでたぁ！」の意味を中学の頃まで理解していなかった。

…とここまで原稿を書いていると、後ろからのぞいた妻が「養毛剤で〝でたらでたぁ〟と叫びたい人もいるよね」と言いながら扇風機の風とともに去っていった。

ネギと幸せ度

おもしろいとすすめられ「日本一周歩数計の旅」（ユーメイト）を買った。歩いた距離を積みたてて行き先を楽しむ。目標は日本一周。何年かかるか分からないとあるが、歩いてみよう。「三日坊主でもいい。10回繰り返せば1カ月」と恩師は言った。困った生活習慣病があるなら幸せの生活習慣もあるはずだ。歩く習慣は身体の健康の王道である。

ある知人は手帳に毎日、感謝したことを10個書くと決めた。始めて1カ月「いつも元気だね。パワーを分けてよ」とよく言われ、自分でも笑顔と感謝のセリフが増えたという。心には感謝の習慣がいいようだ。

正月に読んだ本「脳にいいことだけをやりなさい！」（マーシー・シャイモフ、三笠書房、

2008年）によると、脳の中には皆「幸せ度」が設定されている。その人の標準体重と同じで、いいこと悪いこと人生いろいろだけど結局その人の「幸せ度」に戻る。宝くじに当たった幸福感も重大事故での不幸感も1年すればその人固有の「幸せ度」になる。この「幸せ度」は習慣的な考え方や気持ち、使う言葉や行動によって変えられるとあった。

そうか幸せな人とは、ささいなことへの感謝を習慣化した普段の「幸せ度」の高い人なのである。こんなことを考えながら、うどん店に行った。食べているときふと「この割ばしのおかげでうどんを食べられる」と思ったら、おわんにも、ここまで運んでくれた足にも感謝できた。すると涙があふれそうになった。

幸せ度のアップ。それとも欲張ってうどんの見えないほど入れたネギを食べたせいかな。

【書き下ろし】敬意の二字

「いいお客さんってどんな人？」。個人タクシーを営む学生時代の親友に尋ねた。すると「降り際に130円渡して、『これで缶コーヒーでも飲んでよ』と言うお客だね」と即座にこたえた。やってみた。黒崎駅に着き料金は670円。1000円出しておつりが330円。いったん受け取り、130円を渡して「これで缶コーヒーでも飲んでよ」と言うと、運転手さんからこぼれんばかりの笑顔を返された。親友の言ったとおりだ。後で考えた。1000円出して「おつりはいらないよ」と言うと330円のもうけ。相手は喜ぶと思うがそうではない。それは上から目線のごうまんさである。130円渡して「コーヒーでも飲んでよ」は水平の人間関係。だから感謝がよく伝わるのかもしれない。お客と運転手。お互いの「敬意と感謝」のやりとりが生み出す「対等の心地よさ」と「人間のぬくもり」を感じるからなのだろう。私は単純である。このことを経験してから不思議と、タクシーに乗ると運転手さんと話が弾むようになった。時には130円渡して「これで缶コーヒーでも」と言うようになった。どうしてこうなったのだろう。

この「技ありの人間関係」を書かせてもらったおかげで人間関係の秘けつを考え続けてきた。私の行き着いた良い人間関係の条件は「敬意とことば」だった。敬意（尊敬する気持ち）があれば、そこから発せられることばは相手の心に響き良い関係を導く。私たちが手にできる幸せの人間関係に至るための唯一の技は、「敬意」の二文字である。

冒頭の話。「これで缶コーヒーでも飲んでよ」の言葉の底には運転手さんに対する「敬意」がある。自分を大切に思う心情を他者まで拡大していくと、自分と他者、自分と社会の幸せな関係を築くことができる。

おやじの遺言。「その人の権利を認めなさい」、そして母の口癖は「女性を大切にね」。妻には毎日「いい気になりなさんな」と言われる。よく知られているようにリビング紙の製作スタッフはほぼ女性。女性の視点での紙面構成になっている。心理学者フロムは女性の特質を「良きことに対する直観。健全さの良心」とした。男性社会のほころびとゆがみを正すのは女性の賢さと奮闘である。どうも私は女性に助けられての人生である。今も西南女学院大学の女子学生に囲まれている。

２０００年第１回のコラムの題は「感謝の虹」。そして今回の最後の題は「敬意の二字」。今までに縁した方々、そして最後まであきらめずに我慢して読んでいただいたあなたに心から〝感謝と敬意〟を表したい。

ありがとうございました。

あとがき

小学校4年まで若松で育ち、それから博多。大学は北九州大学（現、北九州市立大学）。九州から出たことなかった。卒業後大阪で営業職のあと教職に就いた。24歳から35歳の11年間、関西で学んだことはすごく大きかった。権力の集中する東京に対抗する庶民の感覚、権力や差別への反骨精神ともいうべきものだった。

北九州に戻り、同じような良さに気付いた。若松を舞台にした「花と龍」（火野葦平）。普通なら龍は〝玉〟をつかんでいるのだが、そうではない。コラムにも書いたが「花のような女性をつかんで男は龍になる。その花は強く賢く美しい」。〝玉〟はお金や権力の象徴かもしれない。〝花〟は真心や優しさの象徴。私の周りには「花のような女性」が多い。いや今の時代は女性と言い切ってはいけない。花のある方々が多い。おかげで「女・子どもは黙っていろ」と粋がっていた九州男児は「男女共同参画」や「人権感覚」への認識を深めることとなった。美しい花に囲まれている私はもうすぐ天に昇れる。

このあとがき執筆中に、東京オリンピック・パラリンピック競技大会組織委員会の森喜朗会長が女性蔑視発言で辞任。橋本聖子氏が後任の会長に就任した。世の中は一歩前進したと思う。でも安心できない。男女共同参画の時代はまだまだである。頑張らねば。人生時間も少なくなり北九州への思いは年々（念々）深くなる。

最後にこの本を形にしていただいた前田和美さん、出版の話をつないでいただいた植田詩生さん、そして編集に携わっていただいた重川朋子さんに厚くお礼申し上げたい。イラストは第1巻からお世話になった宇都宮健さん、私の情けなくもとぼけた性分を的確なフクロウにしてもらえた。

そして私を育てていただいた北九州の皆様。本当にありがとうございました。

中島　俊介（なかしま　しゅんすけ）

１９５０年、佐賀県生まれ。若松市（現・北九州市若松区）で育つ。神愛幼稚園から小石小学校へ。緊張すると足が震えるために、振動（しんどう）と称される。小４で博多に転居。北九州大学（現・北九州市立大学）在学中に三波春夫の長編歌謡浪曲「俵星玄蕃」を暗記。コンパで披露すると教授に一目置かれ、酒席（しゅせき）で卒業となる。小倉駅北口にあった耐火物製造会社に勤務。心に希望と艱難辛苦の火を灯してもらい１年後、人生の転機となる大阪の出張所に転勤。

その後大阪府の小学校教師として怪しい関西弁をマスターする。１９８５年帰福。東筑紫短期大学に勤務。学生に鍛えられ若者弁を習得。２００８年より北九州市立大学教員。２０１５年には不名誉教授と評判になる。現在、西南女学院大学で教壇に立ち、女子大生から「うすげのアン」と親しまれている。

臨床心理士として子育てや対話学、人間関係のセミナー講師として、東奔西走する日々であるが、ある聴取者の弁「目からうろこが落ちそうで落ちんかった」「寝耳に水の話だった」。近著として「こころと人生」（ナカニシヤ出版、２０１７年）があり、相変わらず親戚、教え子筋に売れている。

技ありの人間関係

ー　人生の景色　ー

2021年5月3日 初版第1刷発行

著　　者　中　島　俊　介

表紙・挿画　宇都宮　　健

監　　修　前　田　和　美

編　　集　重　川　朋　子

発　　行　有限会社　花書院

〒810-0012　福岡市中央区白金 2-9-2

TEL 092-526-0287　FAX 092-524-4411

印刷・製本　城島印刷株式会社

定価 500 円（本体 455 円＋税 10%）

乱丁・落丁の場合はお取り替えいたします。